漢湘文化

閱讀新視界・生活新主張

漢湘文化

閱讀新視界・生活新主張

漢湘文化

閱讀新視界・生活新主張

漢湘文化
閱讀新視界・生活新主張

曾國藩（卷三）

歷史經典六

唐浩明 著

出版者序

「曾國藩」一書分血祭、野焚、黑雨三卷，是一部百餘萬字的長篇歷史小說。作者唐浩明先生研究清史十餘年，蒐集的資料堆滿家中書房，對曾國藩及太平天國歷史的考究尤為深刻。作者以輕鬆的筆調，用小說的方式撰寫此書，內容符合史實，其中人物的刻畫與描寫，生動而傳神，充分發揮了作者的文學才華與史學功力。

此書以曾國藩為主軸，寫他治軍行事的用人方針，也寫他的處世哲學與人生觀，以清末衆多的歷史人物如朝中大臣——如胡林翼、左宗棠、李鴻章……等為軸，交織此一長篇鉅著，書中情節的發展，絲絲入扣，能吸引讀者不斷產生興趣，愛不釋卷。

曾國藩是影響清末歷史的一位重要人物，他創造湘軍，以捍衞孔孟名敎為號召，弭平洪揚。其立身行事，為後代諸多知名人氏所推崇。但作者也藉書中人物表達了歷年來人們的另一種觀點：曾國藩平定太平天國後，囿於忠君敬上，保全己身之小節，自剪羽翼，裁撤二十萬湘軍，無視滿清腐敗、生靈塗炭、救國救民之大義，辜負億萬百姓期望驅除羶腥，恢復神州之熱望，徒讓史册留下一樁憾事。當然，對歷史的評價，有見仁見智之看法，端視讀者從何種角度去研判！或許當讀者閱覽此書時，對書中之主角會有不同之評論。

此書在大陸出版時，曾造成搶購熱潮，本公司取得台灣版權後，以繁體字印行，也引起熱烈回響。今再版出書，又經細校，期望達到無錯字的地步，或仍有疏漏，尚祈讀者不吝指正。

胡明威

作者序

因緣際會，在一次湖南省由漢湘文化學辦的台灣區文具玩具禮品大展中認識了漢湘文化的胡明威先生，由於先前曾透過岳麓書社胡社長將版權轉讓給漢湘文化，這一次展覽會中見到了胡先生得悉「曾國藩」一書在台灣的風評極佳，但因書中一直沒有作者的序言，故利用此次展覽的機會，託胡明威先生將序言帶回台灣。

從事清末歷史的研究已有十餘年，所搜集的資料已堆滿了家中的書房，對於曾國藩的考究、太平天國歷史的鑽研尤其感到興趣。由於歷史故事於撰述時若以考究的方式來完成，對於讀者來說，總有枯澀乏味之感，因此在撰曾國藩一書時，除對當時史事的詳加考究之外，也以較輕鬆的小說方式表達，筆者自認對人物的刻畫描寫，下了很大的功夫，並在劇情的發展上力求時時能吸引讀者不斷產生興趣，從而達到對清末歷史的瞭解，對曾國藩、左宗棠、李鴻章的故事有所感。

撰寫歷史小說是一件看似簡單的工程，但是如果內容要符合史實，那就得花下不少的時間加以完成，這一套書的撰寫共計花費了三年的時間，內容亦做了多次的不斷修改，由於有所耕耘，因此在大陸出版時能造成搶購的轟動。目前連社裏均已無存書，希望此次書籍於台灣問市，亦能造成熱潮，也希望購買此套書的讀者，於閱讀完後能夠肯定筆者所做的努力，才能促使有更好的佳作誕生。

最後要感謝岳麓書社社長胡遐之先生、中國湘普電腦公司李昌軍先生、台灣漢湘文化胡明威先生的支持，才能使此書於台灣順利印出出版，也祝此套書籍銷售成功。

目錄

〈卷二〉

第一章　進軍皖中

第二章　總督兩江

〈卷二〉

第三章　強圍安慶

第六章　天京大火

一　莊嚴的忠王府禮堂，集體婚禮在隆重舉行

建在天京城內明瓦廊的忠王府一片喜氣洋洋，從大門外到王府裏，處處披紅掛綠，張燈結彩，往日繪著旭日東升、海波蕩漾的巨大照壁已被黃緞裱糊，正中那個大紅囍字，猶如火球般輻射著光芒，把出出進進的男女老少的臉蛋映得紅通通的。

今天是忠王府的大喜日子。忠王次女忠二金金好下嫁英國軍官畢爾斯、忠王三女忠三金金妙下嫁慕天安譚紹光，兩姐妹的的婚禮同時在王府禮堂舉行。還有兩對新人也在這個時刻向世人宣布自己的婚姻，他們是英國籍軍官玲唎和葡萄牙姑娘瑪麗、希臘籍軍官包西和安慶姑娘姚弱琴。四對新人同時舉行集體婚禮，這在金陵城裏是曠古未有的奇聞，何況還是王女下嫁，中外聯姻！直把小天堂裏的幾萬太平軍將士、幾十萬居民們的心撩撥得癢癢地、融融地，誰都想去親眼一睹盛況。怎奈王府警戒森嚴，大家都只能在遠處張望，在街巷議論，禮堂裏正在舉行的婚禮，豈是一般人所能看得到的！

寬敞的王府禮堂，平素是禮拜上帝的莊嚴場所，今天作了婚禮的會堂，平添了濃厚的喜慶氣氛。從屋頂懸下四十盞掛有彩色流蘇的八角玻璃燈裏紅燭高燒，一條條布滿各色小三角旗的

繩索，把這些角燈與四壁牽連起來，正面是一張特大條形茶几，上面燃著八根碩大的紅色龍鳳蠟燭。茶几前，一字兒擺開十一張大桌，桌面一律鋪著紅綢，上面擺的是天京城內各王所贈的禮品。他們是乾王洪仁玕、侍王李世賢、輔王楊輔清、章王林紹璋、沃王張洛行、顧王吳如孝、信王洪仁發、勇王洪仁達及幼東王、幼南王、幼西王。這些禮品大多是被面、枕頭、衣料、首飾等。正中一張桌上，天王洪秀全的禮品與衆不同，那是四本裝裱精美的《天王御制詩》。環繞著這一排禮品桌的，是一盆盆盛開的鮮花。兩旁懸掛一副賀聯，中外結同心，萬里長城護天國，華洋聯佳偶，百年美眷享太平。這是已升爲楚天安爵號的康祿送的禮物。整個禮堂一派花團錦簇、珠光寶氣，只有正中那幅耶穌蒙難圖，給熱烈歡騰的氣氛增加了幾分莊嚴肅穆之感。

左右兩邊已坐好了穿戴一新的男女貴賓。左邊坐的是男人，全部朝服朝冠。第一位坐的是王府主人李秀成。他作爲主人，本不應該坐第一位，但因爲他不僅是兩位公主的父親，又是四位新郎官的上司，且其他新人家都沒有長輩參加，忠王便作了這四對新人家長的代表，被衆人推上了第一把交椅。第二位坐的是洪仁玕，下面各自依爵位高低坐下去。右邊的女賓一律插花戴朵，綉袍彩褲。坐在第一位的是兩位公主的生母宋王娘，接下去是乾王的正妃羅王娘，再下去是各位王娘和夫人，還有些女官。主持婚禮儀式的是乾王的朋友、英國倫敦傳教會牧師亨卜洛。

只見亨卜洛牧師手捧《聖經》，滿臉含笑地走到茶几中央，操著流利的中國話宣布：「忠二金金好與畢爾斯、忠三金金妙與譚紹光、玲唎與瑪麗、包西與姚弱琴結婚儀式現在開始。」

大廳裏奏起雄壯的《東王得勝歌》，衆人簇擁著四對新人，如同衆星捧月似地合著樂曲的節拍，儀態萬方地走進禮堂。這時掌聲、歡呼聲響起，人們紛紛向他們拋出紅綠彩紙碎片。四位新娘都穿著潔白的拖地長綢裙，每人身後跟著身穿大紅短褂髮插金花的女儐相。四個新郎都穿著太平軍高級將領服，每人身後一個身著戎裝的男儐相。四對新人緩慢地一步一步地走過來，他們的臉上洋溢著青春的、幸福的微笑。是的，這四對新人的婚姻都是嶄新的、令人羡慕的，他們每一對都有一段永生不會忘記的幸福的回憶。

走在最前面的忠二金金好，既有母親一樣的婀娜美麗的長相，又有父親那種勇敢追求的氣質。她的夫婿畢爾斯，與玲唎一同從英國經香港來到天京投奔太平軍，因作戰英勇、性格坦誠，很快受到忠王的器重。後來包西也來了，三個洋兄弟結成莫逆之交，一起作爲忠王的愛將，時常出入忠王府，儼如家人。畢爾斯英俊的風度、優雅的談吐，得到了二公主金好的愛慕。金好放下王女的尊貴，衝破禮教的藩籬，主動向畢爾斯表白了自己的愛情，使畢爾斯受寵若驚。

當金好向母親說出自己心中的秘密時，卻遭到了母親的堅決反對。原來母親早已爲女兒覓好了東床快婿，那便是留守蘇州的譚紹光。

譚紹光跟著父親加入太平軍時，還只是一個十二、三歲的小男孩。不久父親戰死，李秀成的夫人宋氏見譚紹光孤苦可憐，遂收留在身邊。譚紹光聰明懂事，對李秀成和宋氏很是尊敬，深得他們的喜愛。宋氏因爲無子，更將紹光視同己出。紹光在戰火中長大，鍛鍊成一條鋼鐵漢子，逐漸擔負起太平軍的領導重任。從那時起，宋氏便暗中起了一個心意，要將紹光招爲女婿。宋氏三個女兒，大女早夭，她便把紅線的另一頭繫在金好的脚上。誰知女兒竟瞞著父母自己找了男人，還居然是個洋人！宋氏好說歹說，怎奈金好對畢爾斯的愛情忠貞不渝，母女倆僵持著。畢爾斯將此事告訴玲咧及其未婚妻瑪麗。

瑪麗是個剛强的葡萄牙姑娘，很小時便跟著父母來到香港。父親是個富商，在香港辦了一個修船廠。十六歲那年母親去世，父親强迫她嫁給一個有錢的智利人。瑪麗不願意，一個人躲在一條小汽船上不出來，恰遇玲咧也到了這條船上。姑娘的不幸引起玲咧的深切同情，玲咧協助她逃出香港，一同來到中國內地。在顚波的旅途中，兩人相愛了。

瑪麗給他們出了個主意：私奔去杭州，爭取正在圍攻杭州的忠王的支持，相信胸懷寬廣，既愛女兒又愛部將的忠王會成全這樁好事。金好、畢爾斯欣然採納。瑪麗這個主意不僅對金好有利，也對自己有利。

原來，瑪麗一到天京，便因她出衆的美麗引起了幼贊王蒙時雍的愛慕，曾兩次想在半途將瑪麗擄去，幸而她機靈地躲開了。玲唎和瑪麗不願意因這件事使天王降罪蒙時雍，也欲借此離開天京一段時期。和他們一起去杭州的，另外還有一男一女。男的便是包西，女的便是姚弱琴。說起這對戀人的結合，更富有戲劇性。

去年，英王陳玉成在安慶失利，天京派出大軍赴援，包西率馬隊從征。在安慶城外姚家村，包西的先頭馬隊遭到了鮑超霆字營的襲擊。包西手臂受傷，又累又餓，來到姚家村一個大宅院裏。

這家宅院只有一個年過花甲的老頭和一個女兒、一個婢女。包西說明來意，老頭命婢女立即燒茶做飯，又給包西包紮傷口。包西很感激這個老人，拿出錢來給他。老人不收錢，反而要求包西保護他的家庭和宅院。包西一口答應，寫了一張字條貼在老人家的大門上，不准別人闖進來。

包西告辭老人走到半路，想起後隊裏有不少清軍投降過來的人，那些人過去作惡慣了，本性難改，決不會因他的字條而放過兩個年輕的女子。包西急忙轉身趕回。一到村口，果然見後隊的人在大肆搶掠燒殺，老人宅院門口也有幾個士兵圍著一個女子在調笑。包西氣憤已極，喝令住手，一看正是給他包紮傷口的婢女。他衝進大門，迎面碰上兩個兵士拖著老人的女兒出來。包西飛起一脚，將一個兵士踢倒在地，另一個嚇得跑了，他扶起小姐。小姐哭哭啼啼地告訴包西，父親已被殺。包西急忙進入內室，見老頭倒在地下，身旁一灘血。包西將老人抱到床上。

老人慢慢回過氣來，指指身旁的女兒，又指指窗外的棗樹，以極弱極細的聲音對包西說：「棗樹下有我埋下的六十根金條，都送給你，你要好好照顧我的女兒弱琴。」說罷斷了氣。包西埋葬了老人，從棗樹下挖出了金條，將姚弱琴安置好，打完仗後便將她帶到了天京。

當金好和畢爾斯一行來到杭州時，正碰上太平軍克復杭州，李秀成十分高興地在原浙江巡撫衙門裏見到自己的女兒和這幾個英姿勃勃的洋兄弟。金好向父親陳述了自己的心願，果然得到父親的理解。不久，李秀成帶著他們一起回到天京，說服了宋王娘，並決定將三女兒金妙許給譚紹光。

「現在，由新郎新娘向天父上帝祈禱。」亨卜洛宣布了婚禮的第一項程序。

畢爾斯挽著金好，向著耶蘇蒙難圖跪下，念道：「小女金好、小子畢爾斯跪在地上，禱告天父皇上帝：今有小女小子迎親嫁娶事，虔具牲饌茶飯，敬奉天父皇上帝，懇求天父皇上帝祝福小女金好、小子畢爾斯夫妻和睦，家道吉慶，萬事如意。託救世主天兄耶蘇贖罪功勞，轉求天父皇上帝，在天聖旨成行，在地如在天焉。俯准所求，心誠所願。」

接著金妙與譚紹光、玲唎與瑪麗、包西與姚弱琴都照以上格式，對著天兄耶蘇祈禱了一番。

「現在，由忠王向新郎新娘賜結婚戒指。」

在各位男賓的朝服朝冠面前，忠王華麗而舒適的王便服顯得分外引人注目：長袍由黃緞製成，下半部綉一隻棕色雄獅，上罩一件大紅短襖；頭巾由棗紅綢子製成，上面是忠王自行設計的獨特裝飾——中間一塊異常明亮的祖母綠大寶石，寶石左右各排著四塊橢圓形金牌，金牌上刻著刀、槍、劍、戟、爪、鎚、弓、斧八件兵器的圖案。忠王今年剛四十歲，就已居王位，且成爲中外兩員虎將的岳丈，事業的勝利，家庭的美滿，給他的雙頰布滿了喜悅的笑容。他向八位新人每人送了一個鑲寶石純金大戒指，笑咪咪地看著他們互爲對方將戒指戴上。

按照太平天國通常的婚禮儀式，到此主要內容已完成，牧師開始給他們發龍鳳合揮——當時的結婚證書。但遵循忠王的命令，還要按照起義前滕縣，也是全國的老規矩行三拜大禮。

亨卜洛高喊：「一拜天地。」四對新人對著禮堂頂拜了一拜。

「二拜父母。」李秀成和宋王娘代表新人的家長，接受了他們的跪拜。

「夫妻對拜。」四對新人互相作了一揖。

禮堂裏年長的賓朋們，很久沒有見到種儀式了，今日在忠王府裏再見，都感到很親切。拜完後，亨卜洛莊重地將四張龍鳳合揮發給他們，並慈愛地祝福他們互敬互愛，比翼齊飛。

「幼贊王到！」禮堂裏突然響起門衞的大聲報告，除李秀成、洪仁玕外，全體人員都起立迎接。這四對新人，尤其是玲唎與瑪麗的心一下子急跳起來，他們不知如何來應對這突發的後果難以預料的衝突。十九歲的幼贊王蒙時雍身著王服，神情沮喪地走了進來，身後跟著一大羣隨員。李秀成站起，笑著對蒙時雍說：「請幼贊王入座！」

蒙時雍點了點頭，徑直向瑪麗走去。玲唎緊握拳頭，瑪麗臉色慘白，禮堂裏其他人不知底細，都興高采烈地望著。蒙時雍在瑪麗的面前停下來，緊緊地盯著她。瑪麗先是緊張已極，後來看到幼贊王的眼神越來越黯淡，越來越模糊，終於滾下兩顆晶瑩的淚珠來，這才放心了。玲唎等人也放心了。

「瑪麗小姐。」蒙時雍帶著哭腔說，「你是我所遇到的最美麗的女子，你曾經把我魂魄都勾去了。你沒有成爲我的王妃，我心肝已碎，本不想來此親眼看到這個使我痛苦的場面，但我還是忍不住來了。」

在深宮婦人中長大的幼贊王不能控制自己的感情，淚如雨下。他轉過臉去，擦了一把淚水，喊道：「把禮物送來！」兩個隨員走上來。前面的捧著一個大木盤，盤上罩著一大塊綠綢。幼贊王揭開綠綢，露出盤上放著的兩樣東西：一頂滿是珠花的鳳冠，一件綉著牡丹的霞帔。燭光下，鳳冠霞帔熠熠發光，美艷耀眼。

「瑪麗小姐，這兩件禮品，原是暗中爲你製的，希望有朝一日看到你在贊王府裏穿戴。今天當著玲唎的面送給你，我祝你們幸福！」幼贊王說到這裏，眼淚又嘩嘩地流了下來。

「謝謝幼贊王。」瑪麗聲音顫顫地。

隔了一會，蒙時雍又揭開第二個木盤上的綠綢子，露出三隻玉鐲、四把短劍。他將三隻玉鐲分別送給金好、金妙、姚弱琴，又將三把短劍分別送給畢爾斯、譚紹光、包西。最後，他拿起剩下的那把短劍，走到玲唎面前，將短劍遞過去。玲唎接過劍，正要說聲「謝謝」，卻看見蒙時雍在狠狠地盯著他，壓低聲音罵道：「我恨不得殺了你！」說完，扭頭匆匆離開了禮堂！

「現在，請忠王代表新人們的父母，向各位來賓講話。」亨卜洛充滿喜慶色彩的聲調又響起。

忠王再次離開座位走到茶几前，紅光滿面地對大家說：「畢爾斯、玲唎等人的父母或遠在異國他鄉，或已去世，我今天代表他們向各位兄弟姊妹說幾句話。第一謝謝各位光臨，使他們的婚禮能有如此隆重熱烈的場面。第二祝福他們琴瑟和諧，白頭到老。第三，我要借此機會講講如何建設天國，保衛天國的事。盡管安慶已陷於清妖之手，天京失去一個重要屏障，但我天國仍有廣闊的幅員和衆多的子民，我們的力量是强大的。兩年來，蘇福省的人民安居樂業，百廢俱興。許多人問我蘇福省是如何繁榮起來的，我可以告訴大家，蘇福省的治理採取的正是今天婚禮的形式。」

禮堂裏的全體來賓都被這句話所吸引，爲什麼治理蘇福省和婚禮是一樣的形式呢？大家興趣盎然地聽下去。

「今天的婚禮，我們採取了天國制度和古制相結合的形式。治理蘇福省，也是用天國制和古制相結合的辦法。人人平等，男女平等，有田種，有飯吃，這是天國制；施仁愛、寬刑罰、講禮儀，這是古制。天國制和古制相結合，蘇福省就治理好了。」

乾王洪仁玕坐在那裏，聽了李秀成的這番議論，心裏大爲不安。忠王這種天國制和古制相結合的辦法，旣違背了天王的方針，也與他在資政新篇裏提出的建國大綱相去甚遠。他爲天國最高層的嚴重分歧而擔憂。

「要建設好天國，首先要保衛好天國，現在曾妖頭在安慶派出好幾路人馬向我天京進犯，李妖頭依靠洋人的力量在上海蠢蠢欲動，左妖頭也在浙江竄擾，我天國的形勢仍是嚴峻的。」

一個衞兵進來對忠王耳語幾句，忠王的面孔立刻沉下來。

「各位兄弟姊妹們，剛才得到情報，淸妖曾國荃的前鋒已到聚寶門外雨花台。」

禮堂裏開始嘩然，人們議論紛紛，無不感到大出意外。自從江南大營徹底打跨到現在整整兩年了，天京城外再也看不到一個淸妖。盡管前線天天炮火不息，天京城裏卻是一片升平安定的景象。現在又要打大仗了，怎不令人緊張！尤其是右邊女賓席上，更是嘈嘈切切亂成一團，婚禮顯然不能繼續下去了。忠王環顧四周，鎭定地宣布：「婚禮結束，全體將領隨我到花廳議事！」

二　孤軍獨進，瘟疫大作，曾國荃陷入困境

曾國荃領了主攻金陵的任務後，便和曾貞幹一起率領吉字營、貞字營雄心勃勃地向東開撥，一路斬將奪關，從蕪湖、太平府打過秣陵關、方山，來到金陵城南門外雨花台，將老營設在報恩寺塔廢墟邊。這座建於南宋的寶塔高達十三層，頗爲壯觀。咸豐六年天京事變時，北王韋昌輝害怕翼王石達開回師攻天京時憑藉此塔攻城，於是這座歷時七百餘年的寶塔便被韋昌輝拆毀了。

曾國荃和他的心腹大將李臣典、蕭孚泗、劉連捷、彭毓橘、朱洪章等人都是第一次來到這座江南名城。他要韋俊帶著他和部將們遠遠地從南門附近走到太平門邊，一路細看漫議，費去了整整一天。韋俊告訴他，金陵圍牆三成只走了一成。曾國荃等人大吃一驚，心裏想：吉字營、貞字營合起來只有兩萬多人，要想像過去圍吉安圍安慶一樣包圍天京，豈非夢囈！一向倔强自負、蠻橫不計後果的曾國荃，雖有點後悔不該輕率進兵，但事已至此，也只有硬著頭皮挺下去了。曾國荃命令全體將士在雨花台一帶深溝高壘，建築堅固的工事，作長期圍下去的準備，一面盼望其他各路人馬早點來到金陵城下。哪知進軍金陵的其他幾路各有各的難處。

北路主帥、安徽巡撫李續宜剛準備出師，忽接父喪凶信，匆匆回家奔喪，部將唐訓方率部受阻於壽州，不能南下。鮑超則被阻於寧國，也欲進不能。多隆阿剛啓程幾天，朝廷便命他爲欽差大臣開赴陝西，西路也因此沒有了。水師因要修補戰船，等待從廣東運來的洋炮，也暫在池州至銅陵一段江面上逡巡不前。五路人馬，其餘四路都不能按期抵達，曾國荃在雨花台氣得暴戾失常，曾國藩在安慶也急得日夜不安。每天晚上臨睡前，曾國藩都要到三樓的小房間裏去一趟。那間房子裏放著一個舊蒲墊，曾國藩跪在蒲墊上默默地對天禱告，求老天保祐各路軍事順利，早點拿下金陵。

曾國藩的禱告不但沒有為湘軍求來福祉，一場瘟疫反而突然在金陵城外蔓延，給雨花台畔的湘軍帶來巨大的災難。僅僅只有幾天時間，湘軍就死去三百多人。一個營房裏，只要有一個人得了病，便會立即擴散開去，早上看著還是好好地，晚上便僵臥不起了。連夜派出十人抬屍出去掩埋，回來清點人數，就只剩下五人；打著燈籠火把去找時，沿途看到的則是五具倒在路邊的僵屍。曾國荃惶恐不安，四處延醫尋藥，附近的藥買光了，又派人遠到安徽、湖北等地去買，藥未買來，人又死了一千多。李秀成趁此機會大舉向雨花台進攻，曾國荃不得不率領病羸士卒抵抗，弄得焦頭爛額，痛苦萬狀。李秀成進攻了幾次，部卒也染上瘟疫，嚇得他不敢再與湘軍接觸，才使得吉字營從瀕於全軍覆沒的邊境上得以解救。

正當曾國荃稍稍喘口氣的時候，貞字營統帥曾貞幹忽染瘟疫死去了。貞字營被合併到吉字營中。噩耗傳到安慶，曾國藩聞之傷悼不已。曾國荃孤處雨花台，連遭不幸，使曾國藩日夜爲之心神不安。他希望老九暫時撤離雨花台，與鮑超的霆字營合兵一處，但老九不同意。於是曾國藩寫信給在家守制的李續宜，請他墨經視師，速帶北路軍南下，卻不料李續宜自己已病入膏肓，不能應命。曾國藩又命李鴻章將程學啓的開字營二千將士開赴雨花台，但程學啓打仗勇猛，李鴻章正依靠著他，不願放出，只同意調吳長慶前去。曾國藩知吳長慶的慶字營多爲未經訓練的新勇，乾脆不要了。他在安慶爲滿弟舉行完吊唁儀式，親將靈柩送上西行的大船後，便立刻乘船東下，他要去查看吉字大營在雨花台畔的駐紮情況。臨行時，曾國藩又把當年王世全送的那把王氏祖傳寶劍帶上，心裏作了決定：先盡力說服老九暫時撤兵，如果他堅決不撤，則以此劍相贈，鼓勵他早日達到目的。

太平軍水師自田家鎭之役大敗後，便一蹶不振，以後周國虞兄弟相繼戰死，水師也便基本瓦解了。千里長江江面上，全是湘軍水師的戰船，只是緊靠天京一段江面上，太平軍陸軍在幾個重要關口上建築了堡壘，加强防守，使得湘軍水師不敢闖進來。這幾個重要關口，由西向東依次爲：大勝上關、鳳林洲、永定洲、三漢河、九洑洲、老江口、草鞋峽、七里洲、燕子磯。曾國藩的座船在離大勝上關二十里路遠的落星寺停了下來，坐進了早已在此等候的綠呢大橋，在彭毓橘指揮的三百名湘勇的保護下來到雨花台。

一連幾天，曾國荃陪著大哥查看金陵城外的地形以及吉字大營二萬多人馬的分佈情況。這時瘟疫已經過去，軍營剛剛恢復元氣。曾國藩見九弟的營盤紮得牢實，保壘堅固，壕溝挖得又深又寬，很是滿意，邊看邊稱讚，使沮喪了大半年的曾國荃心情舒坦起來。

「沅甫，儘管如此，吉字營還是要暫時先撤下，等北路到達江北，霆字營進入溧陽後，再三路並進包圍金陵。」在曾國荃的老營，當屋子裏只剩下他們兩兄弟的時候，曾國藩又一次勸說九弟。

「大哥，屯兵金陵城下，飲馬秦淮河邊，從出山到長沙辦湘勇的那一天起，你就立定了這個志向，盼望十年之久的這一天終於到了。現在瘟疫已經過去，軍營恢復了生氣，正宜一心一意在這裏作攻城的準備，豈能輕言退兵？」曾國荃雖沒染上時疫，人卻比在安慶時要黑瘦多了，不過說起話來，仍和過去一樣的虎虎有生氣。

「不全部撤也可以，還有一個方案你考慮一下。」曾國藩深知九弟的脾氣，他不願意幹的事，任何人也難說動他。「金陵城裏有長毛七、八萬，蘇州、常州一帶有長毛十餘萬，吉字營二萬多人全部屯在這裏，萬一哪天長毛調集十萬人馬將你們團團包圍，要突圍出去亦是難事。軍事上最忌呆兵，二萬人長期聚在一起便成了呆兵，不如騰出彭毓橋、劉連捷兩支人馬出來遊弋在外，作活兵。」

「有兩支活兵在外固然好，但分兵勢必單，長毛來圍便更爲難。」曾國荃仍堅持他的意見。

「我不能眼看吉字營處於困境而不顧，沅甫，功要立，名要爭，但自古以來成大事者，半由人力，半由天命，你儘管好强有能力，但目前天命不順呀！」曾國藩見九弟高低不聽，不免焦慮起來，「瘟疫大作，全軍死了二千多人，軍心大受挫折，這是天命不順的第一點。五路大軍開赴金陵，其他四路都不能順利進軍，這是天命不順的第二點。貞幹驟然去世，這是天命不順的第三點。有此三點，吉字營暫時必須撤。」

「大哥此話固然有理，但大哥平時也常對我們說，功可强成，名可强立，在人之努力耳。又說天下事有所逼有所激而成者居其半，眼下盡管時機不太利，這正是困知勉行的時候，要在逼和激中去做成事。我準備過幾天要杏南回湘鄉去再招三萬精壯勇丁來金陵，湘鄉沒有這麼多，就到寶慶府去招。有五萬人，我保證拿下金陵！」

曾國荃這番話，正是曾國藩過去所奉行的信條：越是艱難越要奮鬥。難道說，是自己年過半百、官居一品而滋生了官場暮氣嗎？或者是讓一時的困難嚇倒了嗎？曾國藩心裏很是讚賞九弟這種迎難而進的鬥志，一時語塞，竟然不知用什麼話來回答才好。

「大哥，我還有許多話沒有對你說，你先聽我講講好嗎？」曾國荃給大哥泡了一碗極濃的碧羅春，雙手遞上來。

「我到金陵來，一是看看你的佈置，二是來聽聽你的意見。你有什麼話，全部給大哥倒出來吧！」曾國藩喝了一口茶，催九弟說下去。

「大哥，依弟之見，我吉字大營只要在雨花台穩紮下來，今後進入金陵的第一人，就必定是我而不是別人。」曾國荃如此自信的態度，如此肯定的語言，使得曾國藩對他的話格外重視起來。

「大哥，我是這樣看的。」曾國荃不慌不忙地將胸中的想法亮了出來，「長毛的實力不在金陵而在江蘇南部，即長毛所謂的蘇福省以及浙江省。在這兩個地方和長毛周旋的李少荃和左季高，都是當今不可多得的人才，且二人都極爲好強，又有洋人的支持，相信他們就在這一年半載之間，便會將蘇南和浙江的局面控制下來。如此，則金陵後院起火，糧餉不能接濟，援兵不能前來，城內必然混亂，金陵作爲一座孤城，攻下只在早晚了。我長期屯兵在此，誰敢再擅自兵臨城下，搶我的功勞？倘若我這時一撤兵，難保少荃和季高不乘虛派兵進來。對他們兩個人，大哥你都得存一點戒心。」

曾國荃的分析不是沒有道理的。他笑著說：「看來仗把你打得越來越精了。」得到大哥的表揚，曾國荃的興頭更足了：「大哥，我還要告訴你一件重要的事。」曾國荃的眼中流露出詭譎的神色，「這兩個月來，我派了一百多個聰明能幹的弟兄打進了金陵城內，要他們刺探情報，聯絡鄉紳，拉攏收買長毛中那些不很堅定的人，這方面收穫不少。」

「沅甫，你這個點子想得好！」曾國藩十分讚賞，眼前的弟弟，再也不是當年那個脾氣犟硬、腦子不開竅的混小子，而是一名眞正的大軍統帥了。往城裏派奸細，這一點連他自己都沒想到。

「有哪些收穫？」金陵城裏的消息，不僅對於曾國荃是重要的，對整個湘軍的統帥曾國藩來說更爲重要。

「他們每天向我報告情況。據他們所提供的情報看來，長毛的敗局是必然的。他們的天王洪秀全自進金陵後，便一直在天王宮裏花天酒地尋歡作樂，軍政大事一概不管，先是全部交付與楊秀淸，後來又聽信於兩個異母兄長，現在又完全委託給他的族弟洪仁玕。」

「據說此人資歷很淺，不過學問還不錯。」曾國藩插話。

「是的。長毛將領們都不服他。他只能紙上談兵，實際打仗則不行，搞了什麼資政新篇，完全是一紙空文。長毛自內訌之後元氣大傷，洪西作亂之初所宣揚的那一套人人平等，原來都是假的，長毛內部很多高級將領都看透了。長毛打仗，原先靠的是楊秀淸、石達開，後來靠陳玉成、李秀成。」

「楊秀淸、陳玉成已死了。前向孟蓉來信，說石達開已被他們逼得走投無路，成爲甕中之鱉，現在只剩下一個李秀成。這個人有頭腦，那年以偷襲杭州的花招破了江南大營，其用兵之乖巧令人佩服。」曾國荃談的這些情報並非什麼絕密消息，曾國藩早已掌握。

「李秀成是個人才，但洪西不信任他。」

「是嗎？」這點使曾國藩感到意外，他一直以爲李秀成是受著洪秀全絕對信賴的人物。

「自從那年內訌之後，洪西便不再實心相信異姓人，後來韋俊投誠，更引起他對擁有重兵的異姓將領的不放心；且據城內來的消息說，在用兵打仗、用人行政等方面，李秀成和洪西有不少重大分歧。在他蘇州行使的一套，與洪酉的方針大有不同。只是因爲李秀成性格軟，常常對洪西作些讓步，才保得分歧沒有表面化。大哥，如果不派人打進城裏，我們如何會得到如此機密內情。」

「的確如此。」曾國藩點頭，「沅甫，今後有關長毛上層的一些重要消息，你要常常告訴我。」

「好是好，但大哥你要拿東西來交換。」

「交換？」曾國藩不禁大笑起來，「好厲害的老九，要什麼條件你盡管說。」

「大哥，你要給我買一百尊重型開花炮，每隔半個月給我送一千顆開花炮彈。」

「一百尊重型炮我給你買。至於每半個月一千顆炮彈嘛，」曾國藩停了一會，「安慶內軍械所目前一個月還造不出二千顆炮彈，全部給你都不夠呀！」

「大哥，安慶造的開花炮彈，你不全部給我，還給誰呀！我不管多少，造出多少給多少，我派兩個人坐鎮安慶。我不打下安慶，哪裏來的安慶內軍械所！」

曾國藩聽了這話先是一怔，隨後勉强笑道：「老九，你可是越來越强梁了！」

「不强梁還能帶兵打仗嗎？大哥以前老是對我們說，要牢記祖父的教導，懦弱無剛是男子的奇恥大辱。打下金陵，不是我老九一個人的光彩，也是我們曾氏家族的榮耀呀！」

老九說的也是實話。「好，好，全部都給你，還有什麼條件嗎？」

「還有一個。」曾國荃指著掛在牆壁上的金陵地形圖對大哥說，「剛才我說過，金陵城內的糧餉接濟主要靠南面，但北面也源源不斷地向城內供應，長毛從北面來的糧餉都存放在九洑洲。」

曾國荃拿起桌上的毛筆，將九洑洲重重地一圈，「再上船運進城。故長毛自大勝上關至七里洲一帶修建了十幾個堅固的堡壘，其目的就是爲了保衛這一條通道，我想請大哥命令厚庵和雪琴，立即發水師把這一帶肅清。這樣就將金陵的北門給關死了。然後，由我來關南門。」

「好，這一個條件也答應。」九弟强梁雖强梁，氣慨卻也可佳，曾國藩從內心裏來說是喜歡的。

「如此，我便每天派人送一次情報到安慶。」曾國荃得意地說，又故意問，「大哥，吉字營還撤嗎？」

「你這個精明鬼！」曾國藩快樂地笑起來，「大哥獎勵你的氣慨，也送你一樣東西。」

「什麼好東西？」曾國荃的興致大增。

「一把劍。」曾國藩從隨身布袋裏抽出王氏祖傳寶劍來。

「我看看。」作爲一個帶兵的統領，曾國荃對兵器有著濃厚的興趣。他從大哥手裏接過劍，「刷」的一聲，便把劍從劍鞘裏全部抽了出來。只見一道白光閃過，冷氣迎面撲來。

「好劍！」見過成百上千種刀劍的吉字營統帥不覺脫口讚嘆。「大哥，這是從哪裏來的？」

「那年在衡州初辦團練時，船山公的後裔送給我的。他說當年他的先祖就是仗著此劍衝進金陵城的，這是一件攻克金陵的吉物。爲了鼓勵湘勇，他將這把祖傳寶劍送給了我。」

曾國荃睜開眼睛聽著，心情激動起來。他已完全明白了大哥轉送給他的用意。

「大哥，這麼好的東西，你爲什麼沒有早送給我？」

「大哥沒早送，是因爲時候未到。」

「你是說早些時候吉字營還沒有圍金陵？」

「不，不是這個原因。」曾國藩有意將聲音壓低，「沅甫，世全先生告訴我，這把劍有一個奇異之處，每到它立功的前夕，都要長鳴一次。」

「有這事？」曾國荃很驚訝。

「世全先生說，當年他的先祖仲一公進金陵前夜，此劍長鳴了一次。傳到船山公手裏，他去廣西找永曆帝時，又在夜裏長鳴了一次。那年我去王𡌴坪瞻仰船山遺跡時，世全先生說，前天夜裏，此劍又鳴了一次。於是，他慨然把劍送給了我。離安慶前夜，此劍突然長鳴不已。我想它是不安心在我這裏閒居，它要到英雄身邊去建功立業了。因此，我把它帶到金陵來。」這一番話，純是曾國藩的即席編造。那年王世全說這把劍每到半夜都要長鳴一次，其實一次也沒鳴過。他知道那是王家故意抬高劍的身份所耍的花招。他覺得他這樣說既無破綻，又能給老九堅定必勝的信心。

果然，在「日月合璧，五星聯珠」那天打下安慶的曾國荃，從那以後便一貫自詡爲有天保祐的福將。此時，他毫不懷疑自己就是應劍鳴的立功之人。他把劍往劍鞘裏重重一插，說：「大哥放心吧，此劍必將以勝利者的身份，第二次進入金陵城！」

「好！」曾國藩站起身，拍了拍九弟的肩膀，莊重地說：「這正是大哥所希望於你的！」

三　彭玉麟私訪水下道，楊岳斌强攻九洑洲

彭玉麟、楊岳斌統率湘軍長江水師很快來到了落星寺。曾國荃親到船上與他們見了面。第三天，三人乘坐一條小民船從大勝關一直划到燕子磯，借助千里鏡查看太平軍在這一帶的設防。長江控制著金陵的西北兩面，從楊秀清開始，便十分注意對進入金陵地段的長江水路的防守，經過十多年來的修築，這一帶堡壘林立，且高厚堅固，尤其以大勝關、九洑洲、草鞋峽、七里洲、燕子磯等處更是重點設防。其中九洑洲駐紮了一萬人馬，以康祿爲主帥，玲唎爲副帥，更是鐵壁金湯，控扼著江蒲至金陵的水上通道。彭、楊等人查看一番後，都覺得這場仗不容易打。

「再難打也得打，千里長江就這一小段在長毛的手中了，我們難道就甘心受阻於大勝關嗎？」對自己的水師戰鬥力充滿信心的楊岳斌，不管困難多大，也要以强攻拿下。

「水路不肅淸，就不能關住金陵的北門，二位非拿下不可！我再要劉連捷帶五千陸師來支援你們。」曾國荃在一旁竭力慫恿。

「長毛已到窮途末路，當然不可能阻擋我水上雄師。不過，困獸猶鬥，何況他們目前尚未大敗，實力仍很强。我想先以九洑洲爲突破重點，明天派小股戰船去試探試探。」彭玉麟經過一番熟慮後說出了自己的意見。楊岳斌、曾國荃都急於成功，不以彭玉麟的謹愼爲然。

第二天，楊岳斌親率三千水師强攻九洑洲。激戰一整天，死了百多人，毀壞戰船幾十艘，九洑洲巖然不動。楊岳斌沮喪收兵，但不服氣。第三天又整隊前行打了大半天，仍然無功而回。彭玉麟說：「九洑洲防守嚴密，一味强攻不是法子，我們要學宋江三打祝家莊的經驗，想法子刺探淸楚後再去打。」楊岳斌說：「好是好，只是難以進去。」彭玉麟說：「試試看吧！」

彭玉麟和劉連捷兩人，一人裝獵手，一人扮樵夫，悄悄坐一隻小划子，划到江北上了岸。劉連捷今年三十四歲，是貞幹在湘鄉私塾時的同窗，爲人甚是機警，且武藝極好。二人來到九洑洲旁。這九洑洲長約有十五、六里，寬在一、二里至六、七里之間，位於長江主航道以北，與北岸相隔一條十餘丈寬的水帶。江邊盡是蘆葦和茅草。二人沿著一條羊腸小道邊走邊留心觀察，時時聽見洲上傳來喧嘩聲，但江邊卻異常寂靜冷落，走了個把時辰，尚不見一個人。劉連捷有收穫，打了兩隻野兔，一隻五彩斑爛的錦鷄。彭玉麟只是隨便拾了幾根枯柴應付應付。正在失望之際，忽見水邊茅草叢中露出一個舊斗笠來。

「有人在那兒。」彭玉麟提醒劉連捷。二人走近看時，果然見一個年在六十歲以上的老漁翁，安詳地坐在一塊石頭上，垂著一根長長的釣竿。

「老伯伯釣了多少魚啦？」彭玉麟操著少年時代在舅媽家裏學會的蕪湖話問。蕪湖與金陵相隔不遠，口音接近，老漁翁沒有懷疑他們是異鄉人。

「今天刮什麼好風，把兩位老弟吹過來了！這塊坐坐。」老漁翁指著斜對面一塊大青石，對彭玉麟、劉連捷說。他在這兒釣魚，三、五天不見一個人是常事，更莫說有人主動向他打招呼了，眞所謂空谷足音，他很快活，因此對彭、劉很熱情。

「聽說這裏有好野物，走了幾十里路趕來，老半天見不到一個人，沒想到在這裏遇到了姜太公。」彭玉麟更快活，緊挨著老漁翁坐下，一邊拿起魚簍看，見裏面盛著大半簍魚。「老人家的釣術很高喲！」

受到稱讚，老漁翁越加高興：「不瞞二位說，這裏野物並不多，但魚多。尤其是我坐的這個地方，有個小小的漩渦，四面八方的魚都趕到這塊來了，每天可以釣到二、三十斤。」

「這麼多！」劉連捷情不自禁地冒出了一句湘鄉話，彭玉麟瞟了他一眼，他意識到失言，於是閉住嘴不再說了。這句話只有三個字，老漁翁根本沒有聽出語音來，接著說：「吃是吃不完，兵慌馬亂的，賣也賣不起價，送些給別人，剩下的就曬乾，日後慢慢吃。」

彭玉麟心想：江邊只有這個老漁翁，再也遇不到第二人，且他天天在此垂釣，一定曉得些內情，必須抓住不放，從他口裏挖出些東西來。彭玉麟有意奉承：「老伯心腸好，這麼活鮮鮮的魚白送給人，眞少有！老伯，聽說釣魚中的學問大得很，你老給我們傳授點吧！」

「釣魚又不是讀書作官，有什麼學問不學問，天天釣就是了。天長日久就釣出來了，哪裏是講得出來的！」老漁翁憨厚地笑著，彭玉麟想他說的是實話，想了片刻，說：「老伯，我聽人念過一首釣魚歌訣，你老聽聽看有沒有道理？」

「釣魚還有歌訣？你念出來給我聽聽。」老漁翁顯然很有興趣。

「好，老伯請聽。」彭玉麟一字一板地念道，「釣魚釣魚，心神專一。春釣淺灘夏釣樹蔭，秋釣坑潭、冬釣朝陽。春釣深，冬釣淸，夏池秋水黑陰陰。春釣雨霧夏釣早，秋釣黃昏冬釣草。

深水釣邊，淺水釣淵，雨季魚靠邊。魚兒頂浪游，釣魚迎浪口。釣翁釣翁，莫釣南風。西風要到西，釣魚切勿守。輕提慢慢動，魚兒上鉤動。水下小魚多，大魚不在窩。」

「有道理，有道理。老弟，你懂得很多哇！」老漁翁大笑，滿臉皺紋又多又深，像一塊石磨似的。「我釣了幾十年的魚，人蠢，編不出這樣好聽的歌訣，只知道魚跟人一樣，冬天怕冷喜太陽，夏天怕熱躲陰涼。眼下天氣熱了，我就在這塊釣，這裏樹木多，蔭涼，魚就趕到這塊來。一到冬天，我就到那塊釣。」老漁翁指了指右前方，「那塊樹少，陽光多，魚都往那塊趕。」

「這就是老伯的訣竅。」彭玉麟連忙恭維。老漁翁很開心，說：「眼下正是鮰魚入江產卵的時候，我還常常釣到鮰魚。這種魚別處釣不到，就這個小漩渦有，告訴了兩位老弟，你們可別說出去噢！」

老漁翁的胸懷坦蕩使彭玉麟感嘆起來，到底是與明月清風作伴的人，無機心，無憂愁，這才是眞正的人生！老漁翁從水中撈出一隻大竹簍來，笑嘻嘻地打開簍蓋，裏面有五六條近兩尺長的大鮰魚在跳動，陽光照著銀白色的魚鱗，甚是逗人喜愛。

「老伯伯，這幾條鮰魚大概要賣得兩把銀子吧！」彭玉麟在蕪湖生活過，知道長江中的鮰魚是一種名貴魚，尤其以揚子江這一段的鮰魚味道更鮮美，更值錢。」

「不瞞兩位老弟。」老漁翁得意地笑著，指了指對面的九洑洲說，「明天我給洲上的洋大人送去，他要給我二兩銀子。」

「你是說這個洲上的洋大人？」如同進山探寶的人驀地發現尋找了多久的寶物，彭玉麟心裏歡喜極了。

「洲上的洋大人叫玲唎，據說是英國佬。還有一個洋婆子，是他的老婆。他們兩個人都要吃我釣的活鰣魚。洋大人說他到過很多國家，吃過很多山珍海味，再沒有比我釣的鰣魚更好吃的了。這次積了半個月，明天一早給他送去。賣了魚後，我去買酒割肉，兩位老弟就在我這裏住兩天如何呢？」

「多謝老伯。我們也是兩個酒鬼，葫蘆裏正裝著一壺好酒，宰了這隻野兔，烤了它下酒吧！」老漁翁的話提醒了彭玉麟，忙拉著他來到一塊沙礫地。劉連捷拔出腰刀，三刀兩下地剝了野兔的皮，將彭玉麟拾來的乾柴架起來，燒火烤肉。不一會，河灘上飄出一股兔肉香，三個人用手撕扯著兔肉，一口接一口地喝起酒來。幾口酒喝下去，彭玉麟與老漁翁彷彿成了相交幾十年的老朋友了。

「老伯，你怎麼會與洲上的洋大人相識的？」彭玉麟存心抓住九洑洲不放。

「老弟，你不知道，我本是住在這洲上的人。」老漁翁的臉開始泛紅，看來酒量並不大。

「九洑洲還住著人家?」彭玉麟驚問。

「怎麼沒有人家?原先也有十幾戶的。咸豐三年，城裏的太平軍上了洲，在洲上修堡壘，我們都扛過石頭。太平軍很和氣，幫他們做事都給錢。那時洲上的軍隊不多，我們也都照樣住著，在洲上種菜餵豬，賣給太平軍，日子過得比先前好。去年，說是朝廷派曾九帥帶兵來到城下，要收回天京，九洑洲上的軍隊就一下子增多了。」

「現在洲上有多少人?」彭玉麟緊抓住這個話題提問。

「很多，我也不知道確數，總有一萬多吧!」老漁翁順手拿起一根枯柴扔到火堆裏，快熄的火又重新燃起來。「洲上也來了新頭領，大頭領稱楚天義，二頭領便是剛才說的洋大人。洋大人要我們統統都搬走，說是要打大仗了，免得在洲上白白送死，我們十多戶人家都搬了。我家搬得不遠，離這裏只有四、五里路，心想暫時住住，打完仗後還得上洲種莊稼。我也沒別的事做，就天天到這塊釣魚。有一天，洋大人見到了我釣的鯿魚，問我這是什麼魚。」

「老伯，你還懂洋話?」彭玉麟故意打趣。

「老弟說得有味，我這個糟老頭還能聽得懂洋話麼!是這個洋大人會講中國話。你們大概沒聽過洋人講中國話吧！那眞講得好，比我們中國人還講得好聽。」老漁翁今天特別快樂，「我說這魚叫鮹魚。洋大人搖搖頭說從沒見過，好吃嗎？我說最好吃，你拿一條去吃吧！我從魚簍抓起一條尺多長的鮹魚遞過去。洋大人笑著說我收下了，給你錢。說著從口袋裏掏出一把錢來給我。你們猜猜有多少？」

彭玉麟搖搖頭。

「五百文！」老漁翁自己回答了，「若是拿到江浦去賣，一百文還賣不到。第二天，洋大人派人找我，說魚味道好得很，要我每個月送兩次魚給他，魚要大的，就按昨天給的價，每條五百文。哪裏去找這麼好的生意！我滿口答應。」

「噢，是這樣的！」彭玉麟若有所思地望著對面的九洑洲，慢悠悠地說。過一陣子他又問：「老伯，你們過去住在洲上，是怎麼到岸上來的，划船過來嗎？」

「不，我們不坐船！」

「不坐船？」劉連捷是個急性子人，忘記了剛才的失言，又脫口而出一句湘鄉話。彭玉麟忙接過去：「老伯，你方才說不坐船，那又怎麼上得岸呢？」

「我們靠兩隻脚走。」老漁翁笑嘻嘻地，好像在賣弄關子。彭玉麟、劉連捷不解地望著他。

「老弟，你們不住這裏，當然不知道，九洑洲原本有一條路與岸上相連的。」

有一條路？探寶的湘軍將領們又挖得了一件寶物。

「九洑洲與江岸相隔的這一段，水淺，底下都是爛泥，不能走船，洲上的人合力修了一條路，有四五尺寬，車馬都可以走。」

「爲何現在沒有了呢？」彭玉麟追問。

「楚天義和洋大人來後，將路削去了三尺多，原來是高於水面一尺多，現在是低於水面一尺多，眼下水豐，路看不見，待到冬天枯水季節，路上還可以走人。」老漁翁動了感情說：「楚天義是個好人。他說現在因爲打仗，不得不挖路，但不能全部挖掉，打完仗後還要再塡起來，老百姓好用。」

彭玉麟和劉連捷都暗自得意，多虧了這個「好人」，有路就好辦了。

「老伯，你今天就把魚送去吧，我們和你一起到洲上去看看。」

「今天送魚倒是可以。不過，」老漁翁猶豫著，「不過兩位老弟去怕不行。」

「爲什麼？」

「楚天義和洋大人一再招呼，只能讓我一個人上洲，不能再帶別人。」

「老伯。」彭玉麟將酒葫蘆遞過去，殷勤地勸老漁翁再喝一口，「我們今天能在一起喝酒吃肉也是緣分，難得，你就帶我們到洲上去看看吧！」

「只怕是守關口的將爺不放。」老漁翁慢慢說，突然靈機一動，「好吧，兩位老弟硬是要去，就帶上那隻死野兔和錦鷄，過關時送給他們。你們只說也是住在這個洲上的人，一年多沒回來了，想看看，求他們放行。」

「那太好啦！」彭玉麟站起來說，「過幾天我們再打幾隻野兔去給老伯下酒。這就請老伯帶路吧！」

趁著老伯收拾魚簍的時候，彭玉麟用衡陽話悄悄地對劉連捷說了幾句。老漁翁帶路，在一個堆滿鵝卵石的地方停下來，脫掉草鞋，捲起褲脚，彭、劉也脫鞋捲褲，跟著老漁翁下了水。果然只有膝蓋深的水，下面便是堅硬的泥路。彭玉麟在心裏默默地感激老天保祐，攙扶著老漁翁邊走邊說，劉連捷背著魚簍獵物有意落在後面，每隔丈把遠便在兩旁插上蘆葦桿。桿頂只露出水面兩寸長，並不引人注意。

「劉二爹，你又給玲唎將軍送魚來了。」剛一上洲，便見從石壘裏走出三、四個太平軍來，每人頭上包一塊大紅布。

「是啊，是啊。」老漁翁笑呵呵地迎上去，「好幾日沒見了，將爺們都好哇！」

「劉二爹，這兩個人是誰？」內中一個高個子太平軍指著彭玉麟、劉連捷問，並以警惕的目光將他們上下打量了一番。

「將爺，我們原先也是住在這個洲上的，想看看過去住的屋子。」彭玉麟走前一步，仍以純熟的蕪湖話回答。

「過去住在洲上的？怎麼從沒見過！」高個子懷疑地問。

「是這樣的。」老漁翁情急生智，「將爺們來到洲上時，他二人正外出做生意去了，回來時家已搬出洲，將爺們沒見著。他們今日死活纏著我，要來看看，將爺們行行好，放他們進去吧！」

「那不行！楚天義和玲唎將軍有令，這個洲上只許劉二爹一人每月來兩次，其餘任何人都不能進來，何況這幾日清妖水師和我們打仗，誰能保證他們不是清妖的奸細？」高個子說完又狠狠地盯了彭玉麟一眼。

「將爺，清妖都是兩湖人，哪有我這個講天京話的奸細。」彭玉麟再走前一步，悄悄地對高個子說，「將爺，我有一瓦罐子碎銀埋在屋後菜土裏，家裏誰人都不知，我要把這罐銀子挖出來。將爺，你放我進去吧，我分給你一些。」

高個子的臉上立刻露出了笑容，彭玉麟從劉連捷身上取下野兔錦鷄往高個子懷裏一塞：「這點野物送給將爺們下酒吧！」那幾個太平軍一聽，忙過來將野兔錦鷄搶了去。高個子剛要放彭玉麟進去，忽然神色緊張起來，壓低了聲音：「楚天義來了，你們不要講話，我來應付。」

康祿走過來。上九洑洲之前，他從楚天安晋升爲楚天義，這是六等爵位中的最高一級。比起前幾年來，康祿顯得身軀寬大了些，也更覺成熟老練了。高個子帶著兵士們垂手肅立。楚天義微笑著向老漁翁打招呼：「劉二爹，又釣得好鮒魚了？」

「義爺，我正要給您送去。」老漁翁提著魚簍子向前走了兩步。

「這兩個是什麼人？」康祿指著彭、劉問。

「他們兩人原先也是這洲上的居民，想來看一看。」老漁翁忙搶著回答。

「這幾天正在打大仗，以後再來吧。劉二爹，你也別到玲唎將軍那裏去了，把魚留下，我這裏有四兩多銀子，你都拿去算了。」康祿掏出銀子給劉二爹。

「謝謝義爺。」劉二爹接過銀子，轉臉對彭玉麟說，「老弟，義爺說了，現在正打大仗，以後再來，我們回岸上去吧！」

彭玉麟望了高個子一眼。高個子會意，忙上前對康祿說：「義爺，八號壘又加厚了一層，叫七牛子陪你去看看吧！」

「要得，去看看。」康祿向前走了兩步，又回過頭來對劉二爹說，「你帶著這兩個人趕快走，炮子不長眼睛，打死了划不來。」

「好，就走，就走！」劉二爹彎了彎腰，提起空簍子就要往回走。

「慢點。」高個子一心惦記著彭玉麟挖銀罐子的事，「義爺已走了，你們去看看就來！」

彭玉麟對劉二爹說：「老伯你先回去吧，免得義爺回頭看見了又說你，我們去看看就走。」

劉二爹答應一聲，又下水去了。彭玉麟向高個子借了兩塊紅布，和劉連捷一道包了頭，趕緊向洲心走去。

兩人從洲頭走到洲尾，細心地查看洲上太平軍的火力佈置，發覺沿江北一帶防守較弱，主要力量都集中在沿江南一面。同時，還發現一座武器庫，裏面堆滿了火藥、炮子和開花炮彈。彭、劉興奮不已。

傍晚時分，兩人將九洑洲上的情況已基本摸清了。出卡時，彭玉麟從懷裏摸出一把碎銀子來，對高個子說：「兄弟，謝謝你了，這點銀子拿去買酒喝。」

高個子滿臉堆笑地接過，悄悄地問：「沒有給楚天義和玲俐將軍撞見吧？」

「沒有。」彭玉麟答。

「那就好，你們快走吧！」

剛出卡，劉連捷猛地倒在地上，手脚抽搐，口吐白沫。彭玉麟神色慌亂地對高個子說：「我這個伙伴素有羊顛瘋病，不想在這裏發作了，看來一時走不成了。好兄弟，求求你讓他在這裏躺一夜，明天就自然好了。」

高個子猶豫半天，說：「那好吧，他一個人留在這裏，你趕緊走。」

「我這就走。」彭玉麟將劉連捷抱進哨卡後，便急急忙忙地趕回落星寺。

第二天凌晨，康祿剛起床不久，便有軍士來報，發現上游清妖的戰船密密麻麻地向洲頭開來，他忙叫醒玲唎。玲唎與他的妻子瑪麗趕急穿衣出堡。瑪麗是個勇敢的女子，她多次婉謝康祿的好意，執意留在洲上，參加打擊清妖的戰鬥。很快，各個石壘中的將士都已到位，磨拳擦掌地要給清妖水師再來一次殲滅性的打擊。

楊岳斌指揮的五千水師死勁地向下游划去，與前兩次不同，他們不從九洑洲的頭部和南面進攻，而是繞過去，將戰船集中在洲尾。昨天半夜，楊岳斌從五千人中抽調出三百人爲先鋒隊，乘坐十隻戰船。出發前，他親自爲這三百人一人敬一杯酒，鼓勵他們說：「這次有人作內應，大家放心打，一定會成功。洲上爆炸聲起，便奮勇衝上岸去。成功後，每人賞百兩銀子，有官銜者升兩級，白丁撥六品實職。」衆皆踴躍。

康祿和玲唎見清妖的船改變了進攻方向，便重新部署力量，火速調派二千人移往洲尾。人雖然立即趕到了，但火炮卻一時搬不過來。玲唎焦急。康祿說：「不要緊，多運點火藥、炮子去就行了，清妖並不知洲尾防守較弱，他們也不敢貿然進攻。」

仗打起來了。洲頭、洲尾、洲南三面同時飛來湘軍的炮子和開花炮彈，尤其是洲尾的火力更是密集。獲得兩次勝仗的太平軍抱著必勝的信心，沉著對敵，儘管有不怕死的先鋒隊在前面賣命，楊岳斌的水師仍未占到便宜。

這時，彭玉麟指揮的二千劉連捷部屬，早已埋伏在北岸蘆葦叢中了。昨天烤野兔肉的地方又架起一堆乾柴，上面淋了一桶茶油。見江上已接仗，便命令點火，浸了油的乾柴立時熊熊燒起來。躲在火藥庫房廢料堆邊的劉連捷見北岸起火，便打起火石，點起一個草包，從窗口裏丟進去，自己就勢一滾。轟隆一聲驚天動地的巨響過後，火藥庫上冒起了烏黑的濃烟。康祿和玲唎見此情景，急得直蹾脚，守在北邊的一千多老弱太平軍不約而同地向火藥庫奔去，試圖搶救些炮彈出來。岸上，彭玉麟帶著湘軍陸師，從原來插好的標記——蘆葦桿尖中趟水而過，很快地衝上了九洑洲。洲上展開了短兵相接的白刃戰。

就在火藥庫爆炸，洲尾守兵驚呆的瞬間，三百先鋒隊在楊岳斌的統領下，冒死靠近了九洑洲，強行登了岸。康祿和玲唎分頭指揮，命令將士們一定要守住九洑洲。無奈，九洑洲上的堅固防守，已被敵人從內部攻破了。軍心動搖，彈藥也供應不上，太平軍防守乏力，湘軍水師戰船一艘艘地靠岸，勇丁們如螞蟻般源源不斷地爬上來。湘軍已完全占了上風。

「楚天義，九洑洲守不住了，我們撤退吧！」玲唎向康祿建議。

「不行。死也要死在洲上！」康祿虎著臉孔，親手點燃一根引信，一發開花炮彈射出，幾個湘軍倒地。

又苦戰了半個時辰，太平軍成片成片地倒在石壘邊。江邊停泊的木船已有幾隻在升帆起錨了。

「不能再打了！」玲唎叫起來，「楚天義，你們中國人血戰到底的戰術不是最佳的方法，保存實力，爭取最後勝利才是英雄。趕快坐火輪進城吧！」玲唎不容分說地拖著康祿向江邊跑去，一面高喊：「瑪麗，快跟我來！」

康祿見江邊的戰船已全部開動，洲上的炮火已全部熄滅，心裏如刀絞錐刺般痛苦，無法，只得聽玲唎的，暫時撤退。剛走出幾步，猛然想起一件事：「糟了，金陵城防圖尚在石壘裏，不能落到清妖手裏。」玲唎見瑪麗剛出門，高喊：「瑪麗，你把壘壁上掛的那張城防圖取下來！」瑪麗又轉回去。一會兒，她從石壘裏出來，高一脚低一脚地向江邊跑去。眼看就要追上玲唎了，忽然慘叫一聲，倒在地上。玲唎回頭高叫：「瑪麗，瑪麗」，發瘋似地向瑪麗奔去。只見瑪麗頭上身上中了十幾顆鐵子，滿臉是血，已不能開口了。玲唎抱起瑪麗向火輪跑去。

火輪開動了。玲唎將瑪麗平放在甲板上，從口袋裏掏出那張金陵城防圖來，把它遞給康祿。康祿握緊這張浸著瑪麗鮮血的地圖，望著九洑洲上湘軍狂呼亂叫的慘景，心中的怒火在熾烈地燃燒著，他憤怒地大罵：「你們這班畜生，不要高興得太早了！」

四　一別竟傷春去了

攻克九洑洲之後，彭玉麟、楊岳斌統率湘軍水師又一鼓作氣，將大勝關至七里洲這一段江面兩岸的所有石壘都攻破了。至此，整個長江全部由湘軍水師所控制。天京北門被封鎖了。捷報傳到安慶，使幾個月來一直都鬱鬱寡歡的曾國藩略覺寬慰。曾國藩這段日子來，不但爲金陵城下的吉字大營提心吊膽，也爲如夫人陳春燕的病而憂心忡忡。

曾國藩並不貪戀女色，陳春燕也不是國色天香的女人，但這一年多來，他卻是從心裏喜歡上了春燕。曾國藩沒有多少時間和春燕廝守在一起，也沒有以像兒子談話時那樣的熱情，來向春燕交待該怎麼做、不該怎麼做，一切都靠她通過細細地觀察體味來決定自己的言行。沒有多久，春燕便出色地做到了這一點，她完全掌握了曾國藩的脾性，服侍得周到細緻，使得精細的曾國藩找不出一點岔子。尤其令曾國藩滿意的是，春燕謹守婦人規矩，一天到晚不多說一句話，不隨便走動。安慶總督衙門有前院後院，後院她只走過幾次，前院是從來不去的，平時行動，走到廳堂的門簾前便止步。還有一點是不貪。春燕的母親和兄嫂有時來看她，走時總是兩手空空的，從不私塞他們一點東西。有這兩條，曾國藩漸漸地對春燕生出一絲愛慕來。誰知春燕年紀輕輕地卻染上了吐血的惡疾。曾國藩四處延醫，終無效果。四十多天來粒米未沾，只靠吃藥吊著一口氣。曾國藩派人將其母親、兄嫂接來照料。

昨夜，春燕自知死期已至，請曾國藩進內室，支開母親、兄嫂後，哭泣著說：「大人，我能夠服侍大人一年多，這是我的福氣，無奈我福薄命短，不能終生侍候，眼看就要與大人永別了。我一個卑賤的小女子，不值得可惜，但有三件事未了，死不瞑目。」

春燕說到這裏，咳嗽起來。曾國藩端來茶杯，春燕喝了一口，略為安定，無比感激地說：

「謝謝大人！」又喝了一口，將茶杯放在桌上，繼續說，「第一件不瞑目的是，我肚裏已懷著大人的骨血三個月了。」

曾國藩一聽，心裏一陣慌亂。剛娶春燕不久，曾國藩也曾想過晚年得子的事，後來見自己的身體每況愈下，春燕也多時沒懷上，便打消了這個想法。想不到她居然有了，他心裏暗暗責備春燕不該瞞著。聽說老夫少妻生出的兒子聰明異常，唉，這個兒子無指望了！

「我沒有支撑到把他生下來這一天，深負大人恩情，就是到了陰間我也不甘心。第二件，大人的癬疾患了三十年，給大人帶來了無窮的煩惱，我託我哥哥在鄉間打聽偏方。現在得了一個方子，原想親手調理，可惜也不能了。」

「什麼方子？」曾國藩問，心裏很是感動；這是一個有心計的女人，事情沒辦成之前不露半點風聲，與自己的性格頗爲相近。

「這個方子很簡單，就是用昌蒲艾葉煎水天天洗澡，洗上一年半載就可以了。也不知有用沒用，我死之後，請大人再買一個妾來，要她天天煎水給大人洗澡。」

曾國藩點點頭，但他已不想再買妾了。

「還有一件，我做了大人一年多的妾，卻沒有見到太太，沒有親自服侍她，我心中不安。雖有幸見到了大少爺，但二少爺和家中五位小姐也都沒見過面。春燕我前生作了孽，今生命薄如紙，哎！」春燕長長地嘆了一口氣，淚水一串串地流出來，好半天，又說出幾句話：「我死之後，請大人看在服侍一年多的情分上，將我的棺木送回荷葉塘，莫讓我作孤魂野鬼。大人你自己要多多保重。」說完就暈過去了。

曾國藩知道春燕難過今日，且不論這一年多來的服侍，就憑昨夜那番「三不暝目」的話，曾國藩覺得自己今天也應停辦一切公事，守在春燕的病榻邊，給她最後一絲溫情和安慰。但曾國藩沒有這樣做。為了一個女人的死，便廢擱公事，豈不因小失大！一個堂堂協辦大學士、兩江總督，在小妾面前情意綿綿、悲哀失性，傳揚出去，豈不成了人們談笑的話柄！何況昨天收到的兩份上諭，事非尋常，不能躭誤。

下午，曾國藩把趙烈文、楊國楝、彭壽頤幾個最為貼心的幕僚召進簽押房。昨天來了兩份上諭。一是授曾國荃浙江巡撫實缺，不赴任，仍在軍中。一是授左宗棠閩浙總督實缺，兼署浙江巡撫。弟弟榮膺封疆，自然欣慰。兄為總督，弟為巡撫，聖眷之隆，世所罕見，足使曾氏家族榮耀天下。但朝廷為何如此急忙將左宗棠擢升為閩浙總督呢？這事卻使曾國藩隱隱約約感到背後有文章。

本來，左宗棠德才兼備，是個不可多得的人才。曾左相識三十年了，盡管曾對左睥睨一切目中無人的個性不喜歡，但對他廉潔自守、精明幹練則一直是欽佩的。咸豐九年樊變案中，曾極力保左，次年又奏請左自建一軍援浙，在左打了幾場勝仗後，又密荐左為浙撫。平心而論，左以不足兩萬人的楚軍，三年來攻無不克，戰無不勝，陸續收復衢州、嚴州、金華、紹興等府城，最近又攻克富陽，兵圍杭州，戰果的確輝煌。曾常欽服不已，自嘆不如。但僅僅只有三四年間，便由一個四品京堂升為二品實授巡撫，朝廷對左的酬庸也夠面子了。曾想起自己以一個侍郎身分，帶勇八年才得到一個總督實缺，相比起來，左未免太平步青雲、飛黃騰達了。曾不可理解，朝廷為何要在這時急急授左以總督之職，今後不是要與自己平起平坐了嗎？

「中堂，恕卑職直言，左季高得授閩督，朝廷有深意存焉。」已授七品知縣、仍留幕中的趙烈文經過一番深思後，終於忍不住開腔了。「我想這是衝著大人來的。」見曾國藩臉上不悅，趙烈文趕緊縮了口。

「惠甫，你說下去，為什麼是對著我來的呢？」趙烈文話雖不中聽，卻說到點子上了，曾國藩鼓勵他說下去。

「中堂，依卑職之見，朝廷是要借此來樹立一支與中堂抗衡的力量。」話已說到這種地步，趙烈文不得不竹筒倒豆子了，「左季高有才能，也有功勞，但給他一個巡撫也足夠了。當年潤帥才還不大，功還不高嗎？也只是一個巡撫；再說遠一點，岷帥的才和功又怎樣呢？也只一個巡撫。論才論功，朝廷沒有必要叫他當總督。左季高爲人，只是居人上，不能居人下，當巡撫時便常常自作主張，只是朝廷有命，浙撫受大人節制，才不敢公然對抗。現在作了總督，楚軍兩萬人，大人休想再調派了。朝廷此舉，便是從湘軍中把楚軍徹底分離出去，大人削弱了湘軍的力量。這其實就是前代推恩之計的翻版。」

曾國藩靜靜地聽著，臉上無絲毫表情，心裏在稱讚趙烈文的見事之明。

楊國棟也點頭表示贊同：「惠甫之言很有道理。左宗棠這人雖然才高八斗，器量卻不開闊。據卑職所知，他先前便不大服中堂，今後會更仗著朝廷破格禮遇而有恃無恐。說不定，朝廷欲以左宗棠來牽制大人。」

曾國藩仍聽著，不作聲。彭壽頤也同意趙、楊的分析。他說：「說不定還有幾個總督封。比如李少荃這一年來在江蘇軍事進展順利，朝廷亦很可能封他一個總督，將他和淮軍由從屬於大人的地位，提到與大人一樣高，那時湘軍、楚軍、淮軍三足鼎立，互不能制約，朝廷就可以此制彼，分而治之。」

曾國藩聽到這裏，出了一身冷汗。幕僚們的分析是極有道理的，幫助他更加清楚地看出了朝廷擢升左宗棠爲閩督一事的用心，他由此而更加惦念金陵城下的弟弟：倘若李鴻章、左宗棠很快將蘇南、浙江收復了，老九的局面就難堪了。忽然，後院傳來一陣悲愴欲絕的號哭聲。

「大人，春燕她，她過了。」春燕的哥哥腫著兩隻爛桃子似的眼睛進來，對曾國藩說。

曾國藩怔怔地聽著，一股鬱氣衝塞胸口，他眞想大喊一聲「春燕」，哭著奔向內室，但他理智地控制了。「知道了，你去吧！」他緩慢地邊說邊站起，正要轉身走出簽押房，又坐下來，對趙烈文說：「過幾天康福會從贛北返回安慶，你準備一下，待康福一到，就和他一起到金陵去協助老九。老九身邊缺人，尤其缺出主意的人。」

「是。」趙烈文站起。楊國棟、彭壽頤也站起來。他們知道曾國藩要進室內與春燕遺體告別，便告辭出門。

「惠甫陪我下兩盤圍棋。你們兩個回去吧！」曾國藩揮揮手。

「還下棋？」趙烈文驚愕得睜圓了眼睛，他對曾國藩此時的心態捉摸不透，只得重新坐下。幾個子擺下後，趙烈文看出曾國藩的棋法紊亂，悄悄地說：「中堂，今天不下了吧！」曾國藩不作聲，很快按下一子，趙烈文只得硬起頭皮陪著，心裏百思不解。一局未終，曾紀澤帶著幾個啇役進來，啇役們的手上都捧著東西。

「父親，幕府裏先生們湊了一千兩賻銀，還有輓聯祭幛。兒子請問，要不要刻訃告散發？」曾紀澤說完，站在父親身邊等候示下，這時後院又傳來春燕母親撕心裂肺的痛哭。曾國藩遲疑良久，對兒子說：「賻銀、祭幛全部璧還，輓聯留下，不發訃告。」

曾紀澤站在原地不動，好半天才囁嚅著說：「既然這樣，我這就去退還銀物。」

「慢點。」曾國藩叫住兒子，「銀物叫荊七去退，喪事你不要插手，只管去做你的事。《幾何原本》的序言寫好了嗎？」

「初稿擬好了。」曾紀澤站住回答。

「明天上午送給我看。」

「是。」曾紀澤低頭帶著啇役們退出。

「惠甫，這兩天你幫我料理一下喪事。」曾國藩停止下棋，小聲地對趙烈文說。

「中堂放心，我會把一切料理得熨熨貼貼的。用什麼規格，請大人定一下。」聰明的趙烈文終於看出了曾國藩內心的複雜情緒。

「今天夜裏就悄悄抬出啇門，一切祭吊儀式都在靜虛庵舉行，我不參加，紀澤也不去，就由你出面代表曾家應酬，儀式由她的兄長主持。通知安慶府縣，一律不要派人送錢送物去。此事不能張揚，靜悄悄地辦請靜虛庵的尼姑念三天經。三天過後，就暫在庵內租一間空屋停著，是埋在安慶，還是運回湘鄉，以後再說。」

靜虛庵裏，尼姑們爲春燕念了三天超度經文。總督衙門裏一切如故，沒有一點辦喪事的跡象。曾國藩照常每天治事、見客、讀書、下棋，看不出一絲喪妾的悲哀。第四天夜裏，王荊七帶著供果、錢紙、線香、蠟燭等物，偷偷地陪著曾國藩來到城外靜虛庵。荊七將供果擺在春燕靈柩旁，燃起香燭，焚化紙錢。曾國藩坐在一旁的草墊上，看著黑漆發亮的棺材，既不哭，也不作聲，只是默默地呆著。過了很久，他從袖口裏摸出一把雕花紅木梳來，輕柔地撫摸著。這是曾國藩給春燕買的唯一一件禮物，只值十文錢。春燕很喜愛，每天用它梳頭。那烏黑的長長的頭髮，那白裏透紅的臉孔，隨著這把梳子來到了曾國藩的眼前。又過了很久很久，他叫荊七向尼姑討來幾張白紙和筆硯。借著昏暗的燈光，他爲春燕寫了一幅輓聯，吩咐荊七懸掛起來。輓聯掛好後，他又端坐在草墊上，兩眼呆呆地望著她，心裏一遍又一遍地反覆念著：「未免有情，對帳冷燈昏，一別竟傷春去了；似曾相識，帳梁空泥落，何時重見燕歸來。」

直到窗紙漸漸變白，天快要亮了，曾國藩才叫荊七將輓聯取下來，在春燕靈柩前焚燒。他最後仔細看了一眼那把雕花紅木梳，然後也將它扔進火中。望著梳子和輓聯一齊燒成灰後，才和荊七一道，無聲無息地回到兩江總督衙門。

五　獻出蘇州城後，納王郜雲官也獻出了自己的腦袋

進入上海的李鴻章如魚得水，他的軍事和交際的才能得到充分地發揮，老師臨行送的錦囊妙計，他有取有捨。「移師鎭江」這一條他不願採納，「用洋人之力」，則謹記於心，運用極妙。他與英國海軍司令何伯和洋槍隊的首領、美國逃犯華爾關係密切。他將洋槍隊改名爲常勝軍，以厚餉重賞引誘他們攻克了嘉定、青浦，很快便贏得了朝廷的嘉獎。在此同時，他又指揮程學啓、郭松林、劉銘傳、李鶴章、潘鼎新、周盛波等在蘇南連獲大勝，相繼拿下常熟、太倉、昆山。後來，黃翼升率淮揚水師來援，淮軍力量更强了。不久，華爾在打慈溪時中彈身亡，原副首領美國人白齊文當了常勝軍的首領。後白齊文索餉不得，痛毆上海道員楊坊，攫取白銀四萬兩。李鴻章一怒之下解了他的兵權，白齊文便帶著銀子投奔太平軍去了。常勝軍的首領則由英國人戈登來充當。這時，李鴻章命程學啓率所部開字營、戈登率常勝軍、黃翼升率淮揚水師三路並進，向蘇州强攻。

蘇州守將正是忠王的三女婿，已晉升爲慕王的譚紹光。他的副手是納王郜雲官、比王伍貴文、康王汪安均、寧王周文嘉以及慶天福包西。蘇州歷來是江蘇省的省城，現在又是蘇福省的中心，而蘇福省是李秀成經營多年的根據地。譚紹光深知守城的責任重大，飛騎向李秀成求援。李秀成此時正在安徽六安，原擬再來一次襲擊長江上游，吸引湘軍主力，解天京之危。聞太倉、昆山接連丟失，蘇州危急，便從六安星夜趕到蘇州。李秀成剛進城，通往無錫的北路立即被李朝斌統率的太湖水師截斷，蘇州成了四面受圍的孤城。程學啓、戈登、黃翼升日夜强攻，婁門、葑門、盤門外的石壘均遭洋炮所毀，外圍破壞，糧道斷絕，城內軍心浮動，形勢十分危急。

這天深夜，李秀成在譚紹光陪同下巡視了胥門、閶門、平門、齊門的守城工事後回到了忠王府。聽著城外不斷傳來的槍炮聲，眼見城頭時明時滅的火光，李秀成心情抑鬱，無法安睡。一年前，蘇福省在他的直接領導下，還是一派欣欣向榮的氣象。蘇州，作爲蘇福省的政治中心，在太平天國軍民的眼中，有著僅次於天京的崇高地位。在天京城內上層領導爭權奪利愈演愈烈的時候，不少忠心耿耿的將士在失望之餘，把天國的希望和前途寄托於蘇州，他們相信忠王領導下的蘇州，最終能夠擔負起挽救國運的重任。那時，忠王自己也有這個雄心壯志，一向不大吟詩作文的李秀成在一個泛舟虎丘的月夜，居然望著劍池吟了一首七律：

擊鼓軒軒動未休，關心楚尾與吳頭。
豈知劍氣升騰後，猶是胡塵擾攘秋。
萬里江山多築壘，百年身世獨登樓。
匹夫自有興亡責，肯把功名付水流。

沒有想到就在這一年裏，天國形勢急轉直下。先是以九洑洲為主體的長江防線全線崩潰，天京防守遭到致命的打擊。接著翼王石達開被駱秉章擒獲處死，西行的太平軍全軍覆沒。凶信傳來，舉國悲痛。盡管西行大軍對保衞江南河山不起作用，但只要他們在，天國的一堆火焰就在燃燒，說不定有朝一日，他們在西南義旗高舉，開創出一個蓬蓬勃勃的局面來。可是現在，這一線希望也破滅了。再接著，浙江大部分府縣丟失，楚軍和以法國人為頭領的常捷軍已將杭州包圍起來，杭城隨時有可能再陷。而今蘇福省的地盤一天天縮小，蘇州危在旦夕。數千萬人為之憧憬追求的理想，難道就這樣破滅了？數百萬人為之流血犧牲的天國，難道就這樣亡了國？李秀成在心裏痛苦地呼喊號叫。一陣揪心的難過之後，他頹然倒在安樂椅上，無可奈何地喃喃念著：「天意，這是不是天意呢？」

「忠王！」一聲急促而生硬的口音傳來，秀成抬起頭，見樓門主將包西神色嚴峻地匆匆進來，「忠王，納王和汪天將剛才悄悄地出了樓門。」

「他們深更半夜爲何出城？」秀成警覺起來，「你問過他們了嗎？」

「問過。」包西答，「納王說有急事。」

「你爲什麼不攔住他？沒有我的命令，任何人不得出城！」秀成發怒了。

「我怎麼能攔呢？納王是王，我只是一個福。」包西伸開兩隻多毛的手，聳聳雙肩，做出一個委屈、無可奈何的動作。

秀成的臉色鬆弛下來。包西不僅僅只是一個福，而且他還是一個洋人，他沒有自己的人馬，怎麼能攔得住擁有五萬部屬、陰險凶惡的納王郜雲官呢？「你派沒派人盯住他們？」秀成又問。

「派了兩個人。」

「做得對！」秀成拍著包西的肩膀稱讚。他以這個親暱的動作表示對剛才發怒的歉意。昨天下午，李秀成和譚紹光巡視大半個蘇州城，卻不見郜雲官、伍貴文、汪安均、周文嘉的影子，心裏納悶。他和紹光徑直來到納王府，推開門，見這四王和天將范起發、張大洲、汪環武、汪有爲正在鬼鬼祟祟地交頭接耳，見他們突然闖進來，八人臉色尷尬。忠王略說了幾句話便出來了。「郜雲官等人的行動值得懷疑。當此兵臨城下的危亡時刻，要防止有人賣城投敵。」路上，秀成鄭重告誡女婿。當天夜裏，蘇州各門都加派了慕王的親信，並將這一重要情況通告了守樓門的包西。

「父王。」譚紹光大步流星地進來報告，「郜雲官、汪有爲划著一條小船進了陽澄湖。」

「你怎麼知道的？」秀成問。

「我剛從樓門來，包西派去的人回來報告的。」

他們到陽澄湖幹什麼呢？李秀成沉思起來。

李秀成沒有想到，此時，郜雲官汪有爲正在淮揚水師提督黃翼升豪華的座船上，與李鴻章、程學啓、戈登、黃翼升對面而坐，商量絕密大事。

「當然啦，蘇州指日可下，不過，即使這樣，郜將軍能棄暗投明，改惡從善，朝廷還是歡迎的。」李鴻章長臉上露出明顯的鄙薄，他學著曾國藩的樣子，右手不停地梳理著嘴巴下的鬍鬚，但他的鬍鬚短而稀疏，還不及老師的氣勢。他盯著郜雲官的臉，以審訊的姿態問，「郜將軍，你控制了多少人？」

「蘇州城裏八萬人，我們控制了五萬多，譚紹光只有二萬多人。現在城裏的糧食已基本上光了，他的二萬多人中，死心塌地跟著走的只有二、三千，其他的人只要糧一斷，就都會過來的。」郜雲官並不是膽小無能之輩，相反，他一貫有過人的膽量和勇力，正因爲如此，他不甘於長期居人之下，甩掉鋤頭，拿起刀槍，投了太平軍，要靠戰功來出人頭地，求得個榮華富貴。但現在，眼看太平天國大勢已去，擺在他面前只有兩條路：死守蘇州，其結果必然是死在這裏；獻城投降，還有可能做朝廷的大官。張國梁、韋俊、程學啓就是例子。前不久獻常熟的駱國忠、獻太倉的錢壽仁都封了副將，換個主子，換身衣服，照舊是高官厚祿。郜雲官沒有什麼奮鬥終生的信仰，也沒有什麼節操之類的道德觀念，他的人生目的是要有權有勢有錢，活得快活舒心。蘇州城高級將官中持他這種人生觀的很多，他很快便聯絡了比王伍貴文、康王汪安均、寧王周文嘉及天將范起發、張大洲、汪環武、汪有爲。密謀了幾次，一致的看法是：蘇州守不住，投降是唯一的出路。汪有爲化裝出城，向圍城的淮軍表達了這個意思。李鴻章約了今夜在陽澄湖上見面，他要親自見見郜雲官，看是眞降還是詐降。

「伍貴文他們都靠得住嗎？」李鴻章歪著頭，斜起兩隻長眼睛問。

「靠得住，完全靠得住！」郜雲官從懷裏掏出幾張紙來，雙手遞給李鴻章，「這是伍貴文、汪安均、周文嘉等人寫給大人的信。」

李鴻章接過紙，略微翻了一下，放在一旁。

「這幾張薄紙有屁用！」程學啓輕蔑地瞟了一眼伍貴文等人的信，忽然站起來尖利地叫道，「若是眞心投降，你下次將李秀成的頭提來見李中丞。」說完坐下，討好地望著李鴻章。

李鴻章笑著問郜雲官：「程總兵的話，你們辦得到嗎？」

「這個嘛，這件事嘛……」郜雲官遲疑起來。爲獲取李鴻章的信任，眼下叫郜雲官辦什麼事，他都會毫不猶豫去辦，唯獨殺李秀成，他很爲難。要說現在突然率兵包圍忠王府，將李秀成抓起來殺掉，也可能不太難，但郜雲官不忍心這樣做，而且伍貴文、汪安均、周文嘉等人也可能下不了這個手。他們四人多年來一直是李秀成的親信，是李秀成把他們從普普通通的低級軍官一步步提拔上來，後來奏准天王，將他們四人都封了王；且李秀成在蘇州八萬將士中威望極高，反對殺李秀成的大有人在，難保不出亂子。

「連李秀成都不敢殺，還說什麼投降，算了吧，我早知你們這些龜孫子不是眞心。」見郜雲官猶豫不決，程學啓又氣焰囂張地逼了一通。李鴻章不做聲，只是不停地梳理著鬍鬚，嘴角邊掛著嘲諷的微笑。戈登挺直著胸膛，一副很有教養的職業軍人的派頭，他的中國話說得不太好，但可以聽得懂。黃翼升向來不善言辭，他們兩個都閉口坐著聽。

「我們的確是眞心的，可以對天發誓！」郜雲官急了。汪有爲也忙說：「程總兵不要誤會，我們是誠心誠意向朝廷投降。」

「是這樣的。」郜雲官不得不說實話了，「我們這些人都是李秀成一手提拔上來的，將士們受他恩惠的人也很多，怕萬一去殺李秀成，反倒引出亂子來。」

李鴻章輕輕點了點頭。郜雲官想了想，又說：「如果中丞和程總兵不相信的話，總在這兩天內，我們先殺了譚紹光，將他的首級懸掛在齊門外，你們驗看淸楚了，我們再打開齊門，讓大軍進來。那時，李秀成自然逃不出蘇州，大人們看如何呢？」

「可以。」戈登說了一句極簡單的中國話。

「我看這樣也好，只要殺了譚紹光，蘇州就會大亂。我軍只要進了城，李秀成就是甕中之鱉了。」黃翼升也表示同意。

「那不行，非先殺了李秀成不可！」程學啓不讓步。

「若非要按程總兵說的去做，那我一人作不了主，還得回去和伍貴文他們再商量。」郜雲官望了程學啓一眼，輕輕地說：「程總兵也是後來歸順的人，何必如此爲難別人？」

「你！你他媽的說什麼？」程學啓氣得又站起來，脖子上的青筋一根根鼓起。「歸順」二字是程學啓頭上的瘡疤，他最忌恨別人揭破，今天若不是李鴻章、戈登等人在座，他一定要大打出手。

「他沒說錯。」戈登平靜地對程學啓說，他對毫無軍人氣質的程學啓十分瞧不起。

程學啓瞪眼看著戈登，臉漲得紫紅，握著兩隻拳頭，幾次欲站起，又壓制著坐定。戈登只當沒看見一樣，依舊挺直腰桿，兩隻手平放在膝蓋上。李鴻章擔心談判破裂，他現在要的是盡快得到蘇州城，困獸猶鬥，何況城裏還有八萬兵，又有威望素著的李秀成在，萬一將郜雲官逼得和李秀成抱成一團，蘇州城能不能拿下就難說了。

「好吧！」李鴻章放下摸鬍子的手，嚴肅地對郜雲官說，「就這樣定了。三天之內，你將譚紹光的頭掛在齊門城樓上。這就是你們的誠意。三天之後沒有動靜，我們就要强攻了，那時再投降就晚了。」

戈登、黃翼升點頭贊同，程學啓訕訕地不置可否。

「三天之內我們一定殺譚紹光，開齊門。」這件事郜雲官放心了，但另一件事他還不大放心，「中丞大人，弟兄們投誠過來後，朝廷不會殺我們吧？」

「哈哈哈！」李鴻章大笑起來，「你一百個放心，你們是朝廷的有功之人，哪裏會殺頭呢！都會有重賞。」

「大概會是個多大的官呢？」汪有爲怯怯地試探。

「起碼副將。」李鴻章爽快地回答。

「我們的部屬呢？」郜雲官遲疑片刻問。

「原封不動歸你們指揮！」

李鴻章的痛快，反倒使郜雲官覺得這些好處來得太容易而不敢輕信，他又加了一句：「中丞大人，你說的這些，到時都不會變吧！」

「我堂堂一個江蘇巡撫，豈能出爾反爾。」李鴻章斬釘截鐵地回答。

「口說無憑，你可以立個字約嗎？」郜雲官大著膽子問，他生怕遭到李鴻章的訓斥。

「行。」李鴻章異常乾脆的答覆，使郜雲官、汪有爲大出意外。李鴻章援筆寫道：「郜雲官等八人殺譚紹光獻蘇州，事成之後，向朝廷保奏封爲副將，原部屬照舊不動。立此字具，決不食言。」李鴻章在後面簽上自己的名字，又將筆遞給程學啓說：「你和戈將軍、昌歧都簽個名，好讓他們放心。」

郜雲官、汪有爲藏好了這份字據，放心落意地回到了蘇州。

第二天一清早，一騎快馬穿過清軍的包圍圈，從平門衝進蘇州城，將一封天王親筆詔書遞給李秀成。詔書封李秀成爲太平天國眞忠軍師，執掌全國軍政大權，速回天京解圍。眞忠軍師一職，實際上是僅次於天王的第二把交椅。此時天王將此職授與他，無疑表示對他的完全信任。對此，李秀成心裏感激。但蘇州危在旦夕，尤其是郜雲官、汪有爲昨夜的詭祕外出，更使李秀成覺得事態嚴重。譚紹光年紀輕輕，能擔負起這個重任嗎？

「父王，畢竟天京比蘇州更爲重要，你還是回天京去吧！」李秀成離開蘇州將意味著什麼，譚紹光當然很淸楚，但他素來顧大局，識大體，這也是李秀成招他爲婿的重要原因。

「忠王，你回到天京後，一方面解天京之圍，同時再派一支人馬救援蘇州。」包西在一旁建議。

「好，你這個提醒很好！」包西一句話將李秀成的矛盾解開了。是的，蘇州的解圍還得仰仗外援。「紹光、包西，你們只要再堅持一個禮拜，我一定組織五萬大軍前來救援。」

當天半夜，李秀成帶了幾個親兵從平門縋城而出。臨走時，他緊握紹光的手，說：「蘇州這副擔子就擔在你的肩上了，要千方百計堅持住。郜雲官、汪有爲等人行跡可疑，你要留神提防。」

紹光堅定地說：「父王放心前去，有我就有蘇州。」

李秀成的突然離去，給郜雲官等人帶來意想不到的方便。這一夜，四王四天將在納王府密謀籌劃了一整夜。

爲了應付意外，譚紹光召集了全體守城高級將官會議，對城防重新作了部署，宣布郜雲官、伍貴文、汪安均、周文嘉分別從閶門、齊門、胥門、盤門換下來。

「啪！」譚紹光的話還沒說完，郜雲官拍案而起，怒目圓睜，吼道：「姓譚的，你放明白點，蘇州不是你的天下了，你憑什麼撤換我們！」

譚紹光看時，伍貴文、汪安均、周文嘉、范起發、汪有爲等人都握緊了劍柄；門外，數百名手執刀槍的大漢已將會議廳包圍了起來。「不好，讓他們先下手了！」譚紹光暗自叫苦，嘴裏喝道：「郜雲官，你要造反嗎？」

「老子正要造反！」郜雲官刷地一聲抽出腰刀，命令汪有爲：「給我上！」汪有爲抽出劍來，發瘋似地向譚紹光衝去。「快躲開！」包西喊著，隨即拔出腰間的洋槍，「叭叭」兩聲，子彈向汪有爲去。汪有爲頭一偏，隨著兩聲慘叫，後面兩個將領倒在血泊中。郜雲官揮刀大嚷：「都給我上！」其他六人一齊衝上，譚紹光、包西寡不敵衆，終於倒下去了。議事廳裏一片混亂，將領們被這突然的變故嚇暈了頭。

「弟兄們！」郜雲官跳上桌上，嘶啞著嗓門高叫，「蘇州城的糧食早就光了，再守下去，大家都會餓死。我們已和李中丞聯繫上了，只要獻城投降，弟兄們都可以保住現在的官職。大家看怎樣？」

「好！」「同意！」「我們聽納王的！」

議事廳裏大部分將領都表示贊同，只有幾個人冷眼看著，沒有做聲。

譚紹光的頭顱掛在齊門城樓的當天，李鴻章帶著程學啓的開字營、戈登的常勝軍便進了城。忠王府改作了江蘇撫台衙門。三天後，李鴻章在寬闊的後花園裏擺下二百五十桌酒席，郜、伍、汪、周四王所屬旅帥以上的軍官二千人應邀赴宴。郜雲官等八人喜氣洋洋地坐在主賓席上。

酒過三巡，李鴻章站起來，笑容可掬地說：「弟兄們，蘇州城的光復，你們都立了大功，尤其是郜將軍、伍將軍等人功勞更大，李某已奏准皇上，加封郜將軍等八人爲副將之職。」李鴻章說到這裏，轉過臉去喊道，「來人呀，將郜將軍等人的官服送來！」

話音剛落，從後面走出八個穿戴體面的衙役，每人捧著一個木盤出來，盤上整整齊齊地疊放著一套嶄新的二品武官袍服，袍服上放著八頂紅纓傘形帽，特別是帽頂上那八顆起花珊瑚珠，在陽光下閃著光彩，令宴席桌上的人眼紅不已。「弟兄們，爲郜將軍等人的受封滿乾三杯！」李鴻章說著，帶頭舉起酒杯，與郜雲官等人笑吟吟地乾杯。所有喝酒地人一齊騷動起來。他們大口喝酒，大塊吃肉，全然不明白自己已坐在斷頭台上。

看看大部分人都已醉得差不多了，李鴻章向程學啓丟了一個眼色。只聽得一聲沖天炮起，後花園裏忽然從天而降數不清的淮軍士兵。他們一個個全身披掛，手執利刄，並沒有費很大的勁，二千顆人頭就落了地；與此同時，主賓席上那四王四天將，早已一齊到閻王殿裏報到去了。李鴻章端坐在凳子上，面露微笑，如同看戲似地觀看著眼前這幕人間慘劇。程學啓大聲獰笑，他很得意，也很開心。黃翼升心中不忍。他難以明白李鴻章的心思，殺降不仁，連這點都不懂嗎？戈登橫眉怒對，他對李鴻章如此公然背信棄義十分憤慨。他終於不能忍受，霍地站起來，指著李鴻章的鼻子大罵：「流氓，我要向全世界控告！」說罷，氣沖沖地走了。

「中丞，戈登說得出做得出，他眞的會控告的。」望著戈登的背影，黃翼升有點心怯地對李鴻章說。

「讓他控告去吧！這是中國，不是他的大英帝國！」李鴻章開懷大笑起來。

六　我們還是各走各的路吧

李鴻章的話說對了。在中國這塊土地上，戈登以殺降之罪來控告李鴻章，眞個是告狀無門。他四處鬧了一陣，各方反應都很冷淡，自己也覺得無趣，最後便以名譽受損傷爲由，揚言要辭去常勝軍的首領之職。李鴻章還要靠戈登的洋槍隊收復無錫、常州，不能太得罪他了，於是一方面向美、英、法等國駐上海使團發一個文告，說明戈登本意是要寬赦降將，殺降時未在場，係中國人自己決定的，與戈登無關；一方面又給常勝軍發了六萬賞銀，其中一萬給戈登本人。戈登既保護了名譽，又得到厚賞，便再也不告狀、不辭職了。

李鴻章軟硬兼施駕馭戈登的手腕，得到了官場的一致稱讚，曾國藩對此深爲滿意。在一次早餐席上，他欣喜地對幕僚們說：「少荃算是歷練出來了。馭洋人沒別的訣竅，就在於軟硬兩手交替使用，運用得法。去年總理衙門來文，說赫德建議從英國買一支裝備精良的艦隊，詢問我可不可以採納。我回信說很好。赫德和英國政府不外乎想借此賺一筆錢。這錢給他賺嘛，艦隊買來後對我們的好處更大。後來，赫德便委託李泰國去買。李泰國用二百萬兩銀子賣了七隻輪船，一隻躉船。不想李泰國暗藏野心，想控制這支艦隊，竟私自和英國海軍上校阿思本簽訂了爲期四年的合同，說明阿思本只服從李泰國轉達的中國皇上的命令，他人不得干預。阿思本就擅自在英國招了六百個水手。總理衙門先是不答應，聲明只能服從中國官員的節制。阿思本於是揚言，如果不讓他指揮，就把艦隊帶回英國解散。諸位，這個阿思本橫蠻到了何等地步！我們花的銀子買來的艦隊，他有什麼資格解散？可是總理衙門竟然向阿思本妥協，承認他的指揮權，眞正糊塗到家了。我得知此事後，立即上書恭王，寧願將二百萬兩銀子白白丟進海裏，也不能接受阿思本的無理要求。後來恭王接受了我的意見，退了船，雖只收回五十萬兩本價，到底氣還是爭回來了。這件事有兩個階段。前階段，明知洋人要從中漁利，我睜隻眼閉隻眼，讓他去賺錢，這就是軟。後一階段，洋人想騎到我的頭上來，那就絕對不能答應，這就是硬。少荃算是學到手了，看來他今後可以和洋人打交道而不會吃大虧。」

幕僚們遂一齊稱讚：「這全是中堂大人栽培得好！」

曾國藩既爲門生得其眞諦而高興，又因這個後起之秀咄咄逼人的氣勢，而爲自己的弟弟擔憂。應該說，李鴻章收復了蘇州，已給圍攻金陵創造了極好的形勢，老九爲何不能抓住這個大好時機，一鼓作氣將金陵拿下呢？倘若李鴻章收復了整個蘇南，到那時，老九即使想得攻下金陵的首功，朝廷怕也不會答應了。一定要盡力促使他早日成功！恰好康福近日從贛北回來，曾國藩便命他和趙烈文帶著二十萬兩餉銀前去金陵，竭力協助老九。

對康福和趙烈文，曾國荃一向是尊重的。在他們的幫助下，攻城的部署作了調整。正在這時，李臣典、蕭孚泗帶著從湖南招募的三萬新勇前來，吉字大營擴大到了五萬，再加上長江水師二萬，水陸人馬共七萬，雖不能將金陵城鐵桶般包圍，但主要通道已完全控制住了。

打入城內的細作不斷傳遞出重要情報：李秀成雖然被封爲眞忠軍師，留守城內調遣各王，但同時洪秀全又封了大大小小的王二千七百多個。封王之多，史無前例！洪氏家族，連伙夫、門房都封王，善於鑽營的小人，用幾十兩、百把兩銀子賄賂洪仁發、洪仁達等人，也可以得到王的爵號，而許多勞苦功高的人反而封不到王，人心大不服。後來洪秀全也知封王太多太濫，就將沒有戰功的人改封作小王，兩字相連寫作「尘」那些被封作尘的人也不樂意。整個天京城內，政治混亂到了無以復加的地步。李秀成面對這個紛亂如麻的局面一籌莫展。隔幾天，又傳出洪秀全封楚天義康祿爲楚王，負責十三門防守總調派的消息。康福聽了暗思：這個楚王康祿很可能就是自己的弟弟。太平天國的失敗已成定局，金陵城的攻破只是早晚的事，作爲兄長，豈能眼看胞弟面臨滅亡而坐視不救？應該到城裏去走一趟，勸說弟弟懸崖勒馬。不過，康福也深知弟弟的脾性，不對此行抱過高的希望。於是，他瞞著曾國荃和趙烈文，化裝成一個普通百姓，從通濟門混入了城內。

天京城已變成一座軍營，到處所見的，都是因糧食不足，餓得面呈菜色、疲憊不堪的士兵們。百姓們大都外出覓食，所剩不多了。店肆關閉，戰馬奔忙，空氣中瀰漫著嗆人的硝煙氣味。這個美麗的六朝古都，再次淪爲血腥戰場。

新封的楚王康祿盡人皆知，康福很容易就打聽到了。在他的王府——一間極平凡的平房外等到半夜，康福才見到兩只燈籠前導，一個身著戰袍的青年騎馬過來。三人一起進了屋，只聽見黑暗中傳來幾句簡短的對話：

「王爺還有何吩咐？」

「你們去歇息吧，五更時再叫醒我。」

「那我們就走了。」

「你們走吧！」

兩個打燈籠的人從屋裏出來，關了門，走進旁邊一間更矮小的屋子。康福知道騎馬的青年即楚王。他輕輕地把門推開，見那人正坐在桌子邊，背朝著一盞昏暗的油燈發呆。「誰？」那人聽見腳步聲，猛一回頭，發覺屋裏站著一個陌生人。果眞是弟弟！趁著那人回頭的一瞬間，康福看清楚了。自從武漢城破前夕，兄弟倆匆匆打過一個照面，到現在一晃十年過去了。

「兄弟，我是你的哥哥！」康福異常激動地走過去，伸出雙手想擁抱弟弟。

「哥哥？」那人本能地後退一步，右手已握緊了腰間的劍柄。

「兄弟，我是你的哥哥康福，你不認得了？」

「哥哥！」康祿終於認出來了，向哥哥猛撲過去。兄弟倆久久擁抱在一起，說不出話來。

「兄弟，你這些年還好嗎？」好久，康福才鬆開手，兄弟二人在油燈下對面而坐，互敍十年來的情況。康福告訴弟弟，他前次回老家住了兩年，娶妻並生了個兒子，又將父母的墓地修葺一新，時時刻刻想著弟弟，盼望兄弟能早日團聚。康祿似乎沒有多少話題好跟哥哥說。十年來轉戰東西，沒有一天安靜的日子，娶妻成家這件事，他總是一天天往後挪。「匈奴未滅，無以家爲」，很小時父親說過的這句話，在康祿的心中留下深刻的印象。消滅清妖後再成家，他一直這樣對自己說。可是，淸妖沒有消滅掉，自己滿腔熱血報效的天國卻岌岌可危了。

「哥，你還在曾國藩手下做事嗎？」康祿問。康福點點頭。

「官居何職？」

康福笑著搖搖頭。

「沒有做官？」康祿有點吃驚。

「據說弟弟已被封爲楚王，只可惜哥哥我不能祝賀你。」

「不要祝賀。」康祿平淡地說，「我剛才問話的意思，不是炫耀我當了什麼王。天京城內到處都是王，王也變得一錢不值了。我的意思是說，哥哥爲曾國藩出生入死地賣命，曾國藩也沒有賞哥哥一個官職，他待哥哥不太刻薄了嗎？」

「不能這樣講。」康福坦然地說，「在曾大人幕中有不少無官職的人，曾大人對這些人反倒比對有官職的人客氣得多。他常對人說，有官職的人，我以上下之禮相待；無官職的人，我以朋友之禮相待。所以在曾大人幕中，無官職的人比有官職的人地位還要高。」

哥哥的這幾句話，使弟弟聽了很新鮮，這樣的總督衙門倒是從來沒聽說過。

「曾國藩本人到天京來了？」康祿警覺起來。

「沒有。他仍在安慶，大概金陵不攻下，他是不會來的。」

「哦！」康祿鬆了一口氣，「哥，我們是親手足，你對我講實話，你這次潛入天京，究竟是爲了什麼？」

「實話跟你說吧。兄弟，我是特為來救你出苦海的。」康福將身子移向弟弟，燈光中，他見弟弟面無表情。

「苦海？」沉默片刻，康祿冷冷地問，「怎麼個救法？」

「兄弟，你可能還不明白眼下的處境。」望著弟弟這副神態，康福心裏萬分焦急，「前兩天，杭州已被楚軍收復，無錫、常州也被淮軍奪取了，浙江、蘇南已全境光復，你們的所謂太平天國，只剩下金陵一座孤城了。金陵雖大，畢竟只是一座城，能守得幾天？兄弟你盡管權大位尊，才幹過人，但大勢已去，一人如何能挽回得了？天命如此，人力又怎能抗拒？」

康福說得很可怕，但康祿依然面容冷漠，並不為之所動。康福嚴肅地說下去：「兄弟，作為你的哥哥，我怎能眼看死亡來到你的頭上而不相救？哥哥為你謀劃了兩條出路。」

「哪兩條？」問話仍舊是淡淡的。

「兄弟，你可以利用目前的地位聯絡同志，殺掉洪逆，獻城投誠。以兄弟這樣大的功勞，一定會蒙朝廷格外寬大，恩賞副將總兵，如同韋俊、程學啓那樣。這是第一條出路。」

「哥哥是要我做郜雲官？」康祿甩出的話中分明帶有強烈的憤怒。

「不！不！」康福急忙分辯，「郜雲官的事很少見，內裏是否還有些什麼別的原因我不知。

但有一點我可以向兄弟說清楚，兄弟是向曾大人投誠。曾大人曾經親口對我說過，只要兄弟棄暗投明，一定重用。」

「還有一條出路呢？」康祿對這條路似乎並無興趣。

「若是兄弟覺得前條出路不好的話，還有一個辦法。兄弟今夜就出城，哥哥帶著你出去，剃髮換衣，休息幾天後，再護送你回沅江老家。待金陵攻下後，哥哥我也回到下河橋去。我們兄弟守著父母的墓地，從此不過問世事，長守我康氏耕讀家風。」

康祿沒有作聲。康福看得出，這條出路已使他動心了。為了讓弟弟能冷靜地思考，康福也不再講話，借著微弱的燈光，他細細地打量著房間的佈置：房間裏沒有一件光鮮的東西，簡陋得如同一家下等客棧。誰能相信，這就是眼下金陵城裏最有權勢之一的楚王府。康福不由得生出一種敬意來。都說長毛的高級官員有聚斂的惡習，從弟弟這間屋子裏的擺設來看，長毛中必有不少廉潔自守的清官。

「哥哥，兄弟謝謝你的好意，但今生今世要我重做一個守父母墓廬的普通百姓，已經是不可能的事了。」康祿終於給哥哥一個明確的答覆。

「這是為什麼？」康福驚問。

「哥哥，古人說，曾經滄海難爲水，兄弟我經過這番風浪，已養成了嫉惡如仇的性格。天下不平之事這樣多，要我還像過去那樣逆來順受，我是寧願死也不能做了。再說，我與朝廷結仇十多年，親手殺朝廷命官不下百人，朝廷和仇家對我恨之入骨。我怎能將自己以後的命運，寄託在一向不講信義的朝廷之上？何況數不清的仇家，我對他們也防不勝防。」康祿平靜地說：「當初我抱著追求人人平等的目標投靠太平軍，盡管我沒有在太平軍中看到理想的平等，這使我很失望，但我不後悔。天京即將淪陷，天國就要覆滅，對這一點我看得很清楚。幾個月前，我也曾有過這樣的想法，離開天京，隱居在一個人跡罕至的深山古刹中，冷靜地思考總結天國失敗的原因。後來，忠王信任我，天王封我爲王，我感激天王、忠王對我的倚重，遂決定不出城，誓與天京共存亡。」

「兄弟，近來你也想過沒有，你走的這條路是錯的。」康福對弟弟忠於天國的心情可以理解。「士爲知己者死」，這是他們兄弟共同的爲人準則。不過，這與道路選擇的正確與否是兩碼事。

「哥哥，你以爲天國失敗了，就證明我的路走錯了嗎？沒有！我自己所選擇的路沒有錯。是的，天國的國運可能就這十幾年，但是，哥哥你當然理解不了，這是多麼轟轟烈烈、崢嶸燦爛的十年啊！」康祿黑瘦的臉龐上綻出了眞情的笑容，他陷入了一往情深的回憶，「我曾代表了貧苦百姓的願望，公審了十多個作惡多端的縣太爺，殺了幾十個地方上民憤極大的惡霸劣紳。我也曾經親手發放了幾百萬斤糧食。看著那些衣衫襤褸、白髮蒼蒼的老人和瘦骨伶仃、瀕於餓死的小孩，從我的手上接過救命的糧食時，哥哥，你知道我那時心裏有多痛快過嗎？我也曾親手將成千上萬畝田地分配給無田無土的農民，與他們分享過種田人的最大幸福。我千百次馳騁沙場，殺得官軍鬼哭狼嚎，抱頭鼠竄。弟兄們個個豎起大拇指，稱讚我是英雄。我當過多年的統兵大將，現又身居王位，指揮著千軍萬馬，跺一腳山搖地動，喝一聲風雲變色。哥哥，你想想看，在家種田有這麼痛快嗎？像哥哥一樣投靠曾國藩，我會有這種痛快嗎？人活在世上，不在壽命的長短。有的人平平庸庸地活了一百歲，有的人活得不長，但他轟轟烈烈。依我看，轟轟烈烈的十年，就遠遠超過了平平庸庸的百歲。今生今世，我已經得到了許多人得不到的快樂和幸福，而這些，都是因爲投奔了太平軍。生當作人傑，死亦爲鬼雄。有聲有色地活著，威威武武地死去，這就是大丈夫生命的意義。這十年來，我活得有聲有色，眞正像個人了，我感受到了生命的意義。說不定天京明日就會淪陷，那麼我明日就威威武武地死去，決不給我的生命帶來汚點。」

康祿說到這裏停住了。他站起身，推開窗戶，對著夜空瞭望。康福卻像被釘子釘死在凳子上，全身失去了動彈的力氣。聽了弟弟這番慷慨激昂的話，他彷彿覺得兄弟之間無形易了位，弟弟做了生活中的兄長，哥哥做了聆聽教誨的小弟。是啊，就算金陵城馬上克復，太平天國頃刻完蛋，上自洪秀全，下到每一個小長毛都被斬盡殺絕，誰能否定得了，在中國歷史長河中，他們曾經掀起過驚天動地的巨浪！誰能否定得了，在中國文明史册上，他們曾經建立起一個迥異常制的嶄新王朝！又有誰能否定得了，他們都是掌握自己命運、敢於跟强大勢力作對的英雄豪傑！相比之下，康福發覺自己有些萎瑣、有些卑微。

自己算得了什麼呢？這些年來，嚴格地說起來，只是作了一個忠心耿耿爲曾國藩效力的家奴罷了。聊以自慰的是，這個家奴頗受主子的器重，而主子也非等閒之輩。但是，再受到有本事的主子所器重的家奴也只是奴才，離英雄還差得遠啦！

憑著康福的良知，儘管不同意弟弟所走的這條路，卻佩服弟弟義無反顧的氣慨，作人應當如此！他想起數年前成功地策劃韋俊反正，那時他認爲韋俊是識時務者。今夜聽了弟弟的這番議論，意識到弟弟的靈魂似乎比韋俊要光明透亮一些。康福並不因這次勸說無效而沮喪，相反地，他爲有這樣的弟弟而隱隱若若有一種自豪感。如此複雜的感情，康福一時也理不清，說不明。

康祿望了一陣夜空後，轉過臉來對哥哥說：「已到五更了，我要巡視城門去了。事到如今，我也不會像上次在荷葉塘那樣，勸哥哥投靠太平軍了。不過，哥哥也休想說動我離開天京城。我們還是各沿著自己所選擇的道路走到底吧！」

康福望著弟弟傲岸挺拔的身姿，敬重、憐惜、悲傷、感嘆，各種心情混在一起，再也說不出一句話來。兄弟倆一齊走出門，二人再次緊緊擁抱了一下，彼此都明白這很可能就是最後一次見面了。寥落的晨星照在康家兄弟端正的臉龐上，兩雙明亮的眼睛裏都充滿著晶瑩的淚水。相對凝望許久後，康福說出了一句連他自己也感到意外的話：「兄弟，你是個眞正的英雄，哥哥我欽佩你！」

康祿也深情地說：「哥哥，戰爭結束以後，你最好是解甲歸田。每年清明節你給父母墳頭上香的時候，記得也代我點一支。」

淚水在兩雙眼睛裏同時落下，兩雙手也終於同時鬆開了。他們各自向著相反的方向走去，很快消失在茫茫夜色中。

七 半路上殺出個沈葆楨

不久，鮑超率霆字營來到金陵城下，駐紮在神策門至鍾阜門一帶。至此，原定東西南北水五路大軍，除西路多隆阿奉調開赴陝西，北路因統帥李續宜去世仍留安徽外，其餘三路都已到了金陵。在曾國荃的統一指揮下，湘軍水陸合作，拿下東南八隘：中和橋、雙橋門、七橋瓮、方山、土山、上方門、交橋門、秣稜關，接著又攻佔淳化、解溪、龍都、湖熟、三岔五鎮。這樣，金陵東南也全被湘軍封鎖。金陵城眞正變成一座孤城了。

金陵城牆素稱天下第一。它長達九十里，高如三層樓房，牆頂部可以併排通過兩部馬車。城牆根與江河湖泊相連，只有通濟門至太平門一帶是陸地。曾國荃帶著趙烈文、康福等人沿著聚寶門至太平門的城牆察看地形。只見城高牆厚，防守嚴密，在城外攻打，兵員和火力都不易部署。「難怪它作過幾百年都城！」曾國荃心想。唯有一處是最佳的地方，那便是太平門外富貴山至龍脖子一帶。此處爲鍾山南麓，左路地勢甚高，便於架設炮位，炮子可以平射進城，足以控制城牆上的防守火力，右路地勢極低，又利於開挖地洞。

「這眞是天賜予我！」曾國荃得意地笑起來。恰在此時一發炮子打過來，馬被驚得前蹄騰空，身邊揚起一陣灰塵。

「不好，山上有堡壘！」康福指著山頂上一座石壘說。果然鍾山第三峯峯頂上有座高大堅固的石砌堡壘，剛才的炮子正是從那裏打出來的，曾國荃等人趕緊向後退。

「九帥，那邊還有一座！」彭毓橘指著龍脖子一座黑灰色石壘驚叫。的確又是一座，而且這座正築在攻城的最佳位置上。正因爲這是攻城的有利地勢，故歷朝金陵城防都極爲注重此處。太平軍在前人基礎上更將這兩座石壘加高加厚，把最精良的西洋大炮架在這裏。給山上的石壘取名天堡城，山下的石壘取名地堡城。

「我操他娘的！」曾國荃粗野地罵起來，「把老營移到孝陵衛來！老子非轟掉它不可，看看是它厲害，還是老子厲害！」

經過幾天幾夜的奮戰，蕭孚泗、朱洪章率領節字營、煥字營，以重大代價拿下了天堡城，但城外最後一個堡壘——地堡城卻始終固若金湯，任憑湘軍洋炮土炮一齊狂轟濫炸，依舊巍然不動地屹立在龍脖子上，令曾國荃十分頭痛。由於地堡城攻不下，城外的地道也總是挖不成。半個月間，湘軍在地道口丟下數百具屍體，卻無法挖通一條通向城牆腳的地道。這塊骨頭竟是這樣堅硬難啃，已夠使曾國荃憤怒、曾國藩擔憂，不料又突然發生沈葆楨拒絕撥餉的事，更使曾國荃惱火、曾國藩氣憤了。

曾國藩任江督時，規定江西厘金全部充作軍餉，漕浙以及九江關洋稅也經常被截留運往軍營。沈葆楨做贛撫，一反前任無所作爲的舊習，自己募勇建團，經費開支大爲增加。太平軍在浙江戰場失敗之後，大量人員退到江西，江西局面危急，朝廷調原隸屬湘撫的席寶田、江忠義率勇入贛。沈葆楨又趁機將本省團練擴大。這樣一來，江西的勇丁激增到三萬多人，糧餉支出浩大。沈葆楨於是常常將供應金陵圍師的款項截留下來，充作江西軍餉。曾國荃因此大爲不滿，屢屢向大哥索求。曾國藩雖極不滿意沈葆楨的作爲，但江西軍情確實嚴重，他只得忍下來，好言勸慰弟弟，有時則從別處騰挪一些給吉字大營。

去年，曾國藩給九江關道蔡錦青寄了封私信，叫他解九江關洋稅三萬兩給金陵圍師。蔡錦青解了一半時被沈葆楨知道，沈將蔡怒斥一頓，揚言若不收回，則撤去蔡的道員之職。曾國藩對沈葆楨如此不講情面而惱怒至極。且不說沈葆楨是他一手保薦上來的，即使無這層關係，也要執行朝廷命令接受總督節制。沈葆楨此舉既無情又無理，按照曾國藩過去的性格，早奏參了，但現在他忍下這口氣，將收到的一萬五千兩銀子如數歸還。金陵城下的曾國荃破口大罵沈葆楨，甚至責備大哥太窩囊。曾國藩聽了，只是苦笑而已，並不分辯。

但現在是什麼時候？天堡城已下，金陵城眼看就要攻破，正要拿銀子去鼓勵吉字大營賣命的時候，沈葆楨卻將應解金陵的五萬厘金全部截留，分文不給，還上疏朝廷告曾國藩眼睛裏只有金陵，全不顧江西的危難，並聲明若將厘金强行解走，他只有辭職不幹。更使曾國藩不能容忍的是，沈葆楨還與大學士、戶部尚書倭仁相勾結，通過倭仁上奏，說兩湖、川、贛、粵每月協解曾國藩軍餉十五萬五千兩，即使不能全解，每月亦有十萬兩的進項，且江浙大半肅清，上海更是富甲天下，曾國藩强解贛厘，不是廣攬利權、貪得無厭嗎？

曾國藩看了這分轉發下來的倭仁奏摺，簡直要氣昏了。餉銀不繼，金陵圍師很可能功虧一簣；索求厘金，又激起上下忌恨。曾國藩左右爲難，憂慮重重，本已好多了的癬疾又突然發作，弄得他痛苦不堪。

「這個忘恩負義的小人！」曾國藩終於忍不住對著幾個心腹幕僚咒罵起沈葆楨來，「我要建議朝廷於博學鴻詞科外，再增設一個絕無良心科，取沈葆楨爲第一名。」

「大人，沈葆楨太可惡了。此時斷餉，簡直是給金陵圍師釜底抽薪，要卡九帥的頸脖子。我和楊國棟等人揣摩大人的意圖，狠狠地參了沈葆楨一摺。這是草稿，請大人過目。」彭壽頤從袖口裏抽出兩張紙來遞給曾國藩。

這幾天幕僚們都在議論江西拒餉的事，人人都很氣憤。彭壽頤想，當年江西巡撫陳啓邁就因餉銀之事被曾國藩一紙參劾。那時他只是一個在籍侍郎，客居江西，而陳啓邁是他的同鄉同年，尚且不能相容，羅織罪名，抗詞上疏，不達目的誓不罷休。現在他位居協辦大學士、兩江總督，奉皇太后、皇上之命節制四省軍務；權力之大，威望之高，三藩以來沒有第二個漢人可以相比。且沈葆楨是他的晚輩下屬，又是他所提拔的人，他能容得了嗎？彭壽頤這樣揣摩著曾國藩的心思，和楊國棟、李鴻裔、汪士鐸等人商量一下，便先起草了一份言辭嚴厲的參摺。

曾國藩把奏稿瀏覽了一遍，見上面羅列了沈葆楨幾條罪狀：防守不力，丟州失縣，吏治無方，奸宄當道，大權旁落，劣幕操縱等等，特別將這次拒絕撥餉，造成金陵不能速克的危害大大渲染了一番。照這份摺子來看，沈葆楨的確不夠封疆大吏之任，應予立即革職查辦。奏稿在曾國藩的手中捏了很久。

「大人，沈葆楨太可恨了，我們都爲大人抱不平。」彭壽頤在一旁慫恿，「若是大人沒有別的改動，我這就叫羅伯宜去謄抄。」

「慢點。」曾國藩凝神望著彭壽頤那張失去右耳的臉，若有所思地說，「我再想想。」

當年參奏陳啓邁是何等的乾脆俐落，敢作敢爲，現在對沈葆楨爲何這樣遲疑猶豫，拿不定主意呢？彭壽頤不可理解。

「長庚，你是江西人，我來問問你，爲何江西的巡撫老是跟我過意不去呢？沈幼丹在我幕中時也畢恭畢敬，一旦坐上贛撫之位，便也跟著他的前任陳啓邁、文俊一樣與我作對了。你知道這裏的原因嗎？」曾國藩兩眼失神，一臉憂鬱。

關於這中間的原因，江西人彭壽頤自然知道一些。原來，江西官場從上到下對曾國藩都沒好感。先是當年湘軍在贛北擅自建厘卡收錢，截了地方的財路，後來又查禁私鹽，空了不少官吏的私囊，最後借父喪之機，不待朝廷批准，便扔下在江西的爛攤子不管，匆匆忙忙回籍奔喪，官場一時嘩然。加以曾國藩在江西幾年屢敗於石達開之手，一個九江城打了三年都打不下，離開後不久九江、湖口相繼收復。所以江西官場都認爲曾國藩既乏軍事才能，又好利爭權。

沈葆楨在江西當過多年地方官，對過去的事情很淸楚，做了贛撫後又聽到上上下下的議論，覺得他們講的有道理。尤其是江西並不富裕，他爲籌集本省軍餉已弄得焦頭爛額，曾國藩卻像催命鬼似地催促江西解餉，爲了弟弟的首功就全然不顧別人的死活，激怒了沈葆楨和江西全省官吏，遂一致決定和曾國藩鬥一場。沈葆楨自認一身淸白，無把柄給曾國藩抓，寧願丟掉烏紗帽也不屈服。

這些情況，彭壽頤能對曾國藩講嗎？何況彭壽頤雖是江西人，卻素來恨江西官場，他並不認爲江西官場對曾國藩的意見有道理。

「大人，江西官場歷來風氣不正，近朱者赤，近墨者黑，誰到江西當巡撫，都要變壞。」

彭壽頤憤憤地作了回答。曾國藩聽了後不置可否，又看起奏稿來。稿子擬得不錯，行文措詞，嚴密周到，無隙可擊。這些年來，在曾國藩的指點下，幕僚們擬稿的水平大爲提高。當時兩江總督衙門上報的奏章，被譽爲海內第一，成爲各省督撫學習的範本。曾國藩幾次下狠心，欲簽上「照繕」二字，但最後還是決定不發。

首先，參沈葆楨這事本身便是不妥。沈是自己一手保薦的，說沈該革職查辦，豈不等於說自己薦人失察？因李元度事，已向朝廷承認薦人有誤的曾國藩，不願再給自己的臉上抹黑。再說，催餉解金陵，雖是爲了打長毛老巢，但一半也是爲了自己的弟弟，這一點，朝野上下也洞若觀火。位高權重，本已到招人嫉妒的地步，再來個爲軍餉而參劾自己節制內的巡撫，更會給攻訐者提供口實。越是對方鋒芒畢露，越是要柔弱退讓，方能顯出自己的理直氣壯。將欲取之，必先與之。他決定以柔克剛，以退爲進。

曾國藩鬆了一口氣，將奏稿平放在案上，伸直了腰板。彭壽頤以爲要批發了，遂趕緊把筆蘸上墨遞過去。曾國藩搖了搖手。

「大人。」彭壽頤仍不甘心，「從來下屬都要服從上峯，方可收指臂之效，沈葆楨以巡撫當此軍情緊急之際抗命總督，參之於理不礙。」

「長庚呀，你不懂我的苦心。」曾國藩神情黯然地說，「沈幼丹有意掣肘，我哪能不忿恚，但細思古人辦事，掣肘之處，拂逆之端，世世有之，人人不免。惡其拂逆而必欲順從，百計設法以鋤異己，這是權臣的行徑；聽其拂逆而動心忍性，委曲求全，且以無敵國外患爲憂慮，這是聖賢的用心。我正要借沈幼丹之拂逆以磨勵自己的德性。」

「大人，你太仁慈了。」彭壽頤動情地說，「要不我爲大人寫封私信給他，明白告訴他紅頂子是大人給的，要他知趣點。」

「長庚，你別亂來，你熟讀史書，當知婁師德不市恩的故事。前朝出了一個婁師德輝耀史册，本朝就不可以再出一個嗎？」過了一會，曾國藩長嘆一口氣說，「即使你說明也沒有用，我知道沈幼丹不是狄仁傑。」

彭壽頤不能再說什麼了，拿起奏稿悻悻退出。曾國藩提起筆，想了想，自己動手擬了一個詞氣委婉的「瀝陳餉缺兵弱職任太廣戶部所奏不實」的摺子。先敍述戶部所言兩湖、川、贛每月協濟銀十五萬多兩之事全係捕風捉影。四川五年來無絲毫之款，湖南今年也未解過，江西解來的九江關洋稅已退還，只有廣東今年解了九萬兩。寫到這裏，曾國藩不禁暗自感激老友郭嵩燾。自從去年郭嵩燾署粵撫以來，粵厘幾乎沒有斷過。湖北的協濟，也只是供應原歸湖北發餉的幾支部隊，並不是支援圍攻金陵的湘軍。接下來，曾國藩思考良久，寫下了幾句沉痛的話：「臣才識愚庸，謬當重任，局勢過大，頭緒太多，論兵則已成强弩之末，論餉則久爲無米之炊，而戶部奏稱收支六省巨款，疑臣廣攬利權。如臣雖至愚，豈不知古來竊利權者每遘奇禍。外畏清議，內顧身家，終夜悚惶，且憂且懼。」

寫到此處，他不免有些心緒煩亂，停下筆來，久久地望著窗欞出神，沉思良久，才又接著寫下去。又說，他現在所居之職，以前是六人分任，多次奏請皇上簡派德高望重的大臣會辦，均未蒙俞允，特再次懇請皇上派員南來，非敢預爲諉過之地，實以綿力而兼病軀，自度不足捍禦賊氛，不得不瀝陳於聖主之前。

寫完後他從頭至尾再仔仔細細斟酌一番，作了幾處小小的改動，頗爲滿意了。正要傳令羅伯宜謄寫，楊國棟進來了。

「大人，現在正有一筆大款，名正言順是我們的，大人何不向朝廷要來？」

「哪裏有一筆我們的大款？」楊國棟的話，曾國藩一時摸不著頭腦。

「大人忘記了？前年退李泰國代購的艦隊，李泰國答應賠朝廷五十萬兩銀子。買艦隊本是爲了打金陵，這筆錢是給我們的。現在艦隊沒有了，退回來的五十萬銀子，豈不該歸還給我們？」

「對，對！」曾國藩頓時高興起來，「國棟，你這個提醒太重要了，這段時期被沈葆楨攪得昏頭昏腦，居然忘記了這件事。那五十萬兩銀子當然應該歸我們！」

「銀子是分兩批交還的。第一批二十九萬已上戶部的帳，再要出來怕難了，第二批二十一萬尚在上海。大人一面向總理衙門去一份諮文說明這個情況，要他們向戶部討還那二十九萬，另一方面趕急給少荃去信，命他將在上海的二十一萬速解金陵。」

「行，就這樣辦。麻煩你代擬個給恭王的諮文，少荃的信由我來寫。」好比一條在乾涸的溝渠裏奄奄待斃的魚，突然得到一股清泉立時活躍起來一樣，曾國藩忘記了與沈葆楨鬥氣的懊惱，興沖沖地握筆作書。

朝廷很快作了裁決，江西厘金一半留本省，一半解由江督支配，李泰國退還的五十萬兩銀子全部作爲軍餉，留在上海的二十一萬立即調往金陵，以救燃眉之急。一場危機終於渡過去了。

八　洪秀全託孤

二十一萬軍餉很快解到金陵城下，使吉字大營的軍心穩定下來。金陵城重新處於嚴密如鐵桶般的包圍之中，曾國荃也便因此得了個「曾鐵桶」的雅號。

城內人心開始浮動。每到傍晚，便有一家一家的人扶老携幼，從各個城門洞裏走出去，再不進來了。湘軍在城內的奸細四處活動，威脅、利誘、造謠、哄騙，使盡了各種手段。不少不願與天京共存亡的太平軍兵士，也悄悄地削了頭髮，三五成羣趁黑混出城。城內人員銳減，軍民合起來不足四萬。就是這對天國最爲忠誠的近四萬人，也漸漸地難以維繫了。最主要的困難是缺糧。康祿向天王建議，在城內播麥種，種蔬菜。天京城內面積遼闊，有田有山，有河有湖，是可以種植的，但畢竟所種有限，且遠水救不了近火。凡是能吃的都吃了，連原先猖獗得令人生厭的老鼠也被人吃光。飢餓嚴重地威脅著天京城。

「陛下，再這樣下去，只有坐以待斃。」這些日子來，許多將士來到忠王府，一致請求忠王速拿主意，挽救天國和合城軍民。李秀成和洪仁玕、康祿、林紹璋等人熟商後，決定向天王直陳他最不能接受的方案，「陛下，現在清妖在外圍困甚嚴，壕深壘固，內無糧草，外援不來，京城不能保住。眼下只有一條路了，那就是請陛下讓城別走。」

「什麼？讓城別走，走到哪裏去？」洪秀全驚愕地問。與三年前相比，天王顯得更衰老了。頭頂已成光禿，鬍鬚變得花白，目光晦滯，行動遲緩，全身都是病痛，一天到晚萎靡不振，這半年來形勢的危急，更使他焦慮憂愁。正當中年的天王已經步入龍鍾老態了。

「陛下，我們將三萬將士擰成一股繩，趁著黑夜衝出神策門，然後設法過江到皖北去找捻子會合。」李秀成把醞釀已久的想法說了出來。

「爾不要胡說了，扔下京城給清妖，豈不等於朕的天國已滅亡。」洪秀全憤怒地吼道。

「陛下，大丈夫能伸能縮。留得青山在，何愁無柴燒。今天雖暫時丟掉京城，日後還可以再奪回來的，豈能讓清妖久佔？」李秀成知天王不忍棄城，耐心地勸慰。

「李秀成，朕封爾爲忠王，要爾當眞忠軍師，把全國兵馬大權都交給爾，爾就拿不出別的好辦法，只有這個餿主意嗎？」洪秀全完全不能理解李秀成的以屈求存、以退求進的策略，反而視爲一種軟弱無能的表現。

「現在城圍糧盡，衆心解體，倘若不走，將會被清妖一網打盡。陛下，天京固然重要，但天國的命運應在天京之上呀！」

李秀成自覺此話過重，便一邊流淚一邊叩頭，希望能以此打動洪秀全的心。誰知洪秀全一聽這話，變得怒不可遏：「朕奉天父天兄之命下凡，作九州萬國獨一眞主，何懼之有？爾畏死，去留任爾。朕鐵打江山，爾不扶助，自有人扶助。」

「陛下！」李秀成急得喊起來，「秀成一身，雖萬死不懼，只是陛下和全城軍民不能眼睜睜地困死在天京。陛下說自有人扶助，現在天京城外百里內無我天國一兵一卒，誰來扶助呢？」

「李秀成，爾敢蔑視朕？」洪秀全冷笑一聲，仰起頭說，「爾說無兵，朕之天兵多於水，何懼清妖乎？爾怕死，便會死，爾走吧，政事不與爾相干。」

洪秀全離開龍椅站起來，在李秀成面前傲慢地踱了幾步，忽然高喊：「承宣官！」

一個身著官服的年輕漂亮女子走過來。

「傳朕的命令，從明天起朝政由勇王執掌，朝命由幼西王發出，有不遵幼西王令者，合朝誅之！」

「陛下！」李秀成抬起頭來，痛苦地望著洪秀全說，「你把我一刀殺了吧，我寧願死在陛下面前，也不願受日後之辱。」

「爾去吧！」洪秀全看也不看李秀成一眼，便拂袖向內宮走去。李秀成含淚出了天王宮，洪仁玕、康祿、林紹璋等早已在宮門外等候，得知情況後無不又氣又急。大家陪著李秀成回到忠王府。府門外已聚集了上千名軍民。一位五十餘歲的老兵飽噙熱淚對李秀成說：「忠王，天京不能沒有你的指揮呀！」李秀成抱著老兵的肩膀說不出話來。老兵轉過臉去，對周圍的兵士們喊道：「弟兄們，我們都到天王宮，請天王召見，一定要他收回成命！」

「對，到天王宮去！」上千名士兵一齊發出嘶啞的喊聲，舉著刀槍向天王宮走去。

「乾王，你必須趕快進宮去，不然會出大事的。」康祿拉著洪仁玕的手催道。

「是的，我們都去！」林紹璋跺了跺腳，對洪仁玕和康祿說。李秀成看著情形不對，也急了：「都去，天京城裏不能再出亂子了！」

等洪仁玕、康祿、林紹璋等人趕到天王宮時，王宮門前已經羣情激昂、人聲鼎沸了，人羣中一再響起「請天王出來！請天王出來」的呼喊聲。洪秀全急得在宮裏團團轉，洪仁玕等人的闖入，使他如同見了救星。他扯住洪仁玕的衣袖，連聲說：「玕胞，爾要設法快點平息這場風波！」

「陛下，秀成讓城別走之策即便不可取，但保衛京師的重任仍得指望他，勇王和幼西王能擔得起這副擔子嗎？」洪仁玕以責備的口氣對洪秀全說。洪秀全也意識到剛才的處置太不妥當。

「玕胞，爾要朕現在怎麼辦呢？」洪秀全已急得手足無措了。

「陛下，現在只有你親自去見弟兄們，親口向他們宣布撤銷剛才的命令。」

「朕出去見他們？」情形如此危急，洪秀全仍放不下天王的架子。進天京城十年來，他僅僅只出過一次宮門，就是到東王府去親封楊秀清萬歲的那一次，事後還後悔不已。

「哎呀！三哥。」洪仁玕急不擇言，竟以在家時的稱呼叫起洪秀全來，「這是什麼時候了，還顧得那麼多，當年打江山時，三哥不是天天和弟兄們在一起嗎？」

洪秀全畢竟是戰火中廝殺出來的英雄，一句話提醒了他。他定定神，整整衣冠，堅定地說：「我這就出去！」

「天王出來了！」有人眼尖，率先喊起來。

「萬歲，萬歲！」兵士們高呼起來，這些人大部分都是從金田村跟隨洪秀全殺出來的老廣西。未出廣西前，時常可以見到洪秀全，自從進了小天堂，就再也看不到天王了。天王是他們心中的天父之子天兄之弟，就在即將油盡燈乾之時，這些對天國忠誠不二的戰士們，見到自覺尊貴無比極不情願出來的天王，仍然感到無限幸福無比光榮，情不自禁地歡呼起來。天王盡量做到保持昔日的威儀，以緩慢的聲調對大家說：「京師雖遭到圍困，但穩如泰山，它不會被清妖攻破的。昨夜朕上了天，見到了天父天兄。天兄將派十萬天兵下凡輔助天國，爾等不必驚慌，各守本職，天兵天將就要下來了。」天王記得，十年前，每當他對兄弟姐妹們講這樣的話時，底下便是一片如醉如癡的狂呼。可是今天，大部分聽衆反應冷淡。聰明的天王馬上宣布：「爾等不要聽信謠傳，忠王仍是眞忠軍師，大家都要聽他的號令，保衛天京。」

「天王英明！」底下有人喊起來，接著是一陣彼伏此起的高呼：「天王英明！天王英明！」洪秀全見此情景，心裏頗不是滋味，但事情已到了這般地步，也只得完全依靠他了。洪秀全大聲問：「楚王康祿何在？」

「卑職在這裏。」康祿走到天王身邊。

洪秀全當衆脫下龍袍，對康祿說：「這件龍袍朕已穿了多年，現交給你，爾替朕將它送到忠王府去賜給忠王。」

「是。」康祿跪下去接過龍袍。

羣情感奮，不少老兄弟流下了熱淚。有人在喊：「天王，我們的糧食沒有了，吃什麼呢？」

「吃甜露。」洪秀全沉思片刻後回答。

「甜露是什麼？」「甜露在哪裏？」人羣中議論紛紛，大家都不知道天王說的是什麼東西。

「爾等都忘記了?」洪秀全不悅地說，「《三字經》上說：『皇上帝，大權能，以色列，盡保全。行至野，食無糧，皇上帝，諭莫慌。降甜露，人一升，甜如蜜，飽其民。』」

洪秀全侃侃背誦，人羣中開始有人點頭了。細細地回憶，前兩年天王頒行的新《三字經》中是有這幾句話。洪秀全耐心給大家解釋：「甜露就是野外之草，這是上帝賜給百姓的糧食，當年以色列人即靠此度過了飢荒。天京城裏野草甚多，從明天起，闔城男女老少均以此充飢，其味甘甜如蜜。」大家聽了，都茫然苦笑。

洪秀全自己以身作則，第二天即開始吃由野草合成的團子，不想三四天後便病倒了，一直不癒。他自知不可救藥，將太子洪天貴福叫到面前：「朕死之後，由玕王輔助你，行嗎?」

十六歲的太子淚流滿面，搖頭不語。

「那麼由信王、勇王輔助你，行嗎?」

又是一陣搖頭。

「那麼璋王呢?」

還是不語。

「爾要誰輔助?」洪秀全不耐煩了。

「忠王。」太子輕輕地回答。

「哎！」洪秀全深深地嘆了一口氣，傳命忠王進宮。

太平門內，忠王李秀成正在指揮將士們挖井。原來，城外的湘軍正在挖地道，一旦把地道挖進城內後，便在地道內大量堆放炸藥，再點火爆炸，把上面一段城牆炸掉。這個時候，雙方便在缺口處大搏殺，往往在倒下幾百具屍體後，衝進來的湘軍又被趕出去了，城牆很快又被堵去。後來，太平軍創造了一個破地道的好辦法。他們沿城牆每隔兩三丈埋下一個空水缸。城外的湘軍只要在水缸附近挖地道，城內人將耳朵貼在水缸壁上，便可聽到嗡嗡響聲。從這個水缸邊垂直挖下去，十之八九就會挖到城外進來的地道。就憑這個辦法，湘軍在城外挖了上百條地道，卻無一處成功。天王的緊急詔命，使李秀成忐忑不安：天王已病倒二十天了，莫不是……

李秀成急忙趕到天王宮，只見太子洪天貴福跪在龍床邊，洪仁發、洪仁達、洪仁玕、康祿、林紹璋等人垂手肅立一旁。李秀成知天王已病危，躡手躡腳走到床邊，天王微閉著眼睛直挺挺地躺在豪華精美的龍床上，身上蓋著明亮的繡龍黃緞被。「陛下，小官奉命來到。」李秀成在洪秀全的耳邊輕聲說。

洪秀全緩慢地睜開眼睛，失神地望著李秀成，好久才張開口：「秀胞，爾來了，就在這裏坐吧！」洪秀全的眼睛看了看床沿，李秀成側著身子坐下。洪秀全從被子裏伸出一隻乾枯的手來，無力地放在李秀成的手心裏，久久地不作聲。李秀成也不知說什麼好。二人相對無言約有一刻鐘，洪秀全終於又說話了：「秀胞，天父天兄就要召朕上天了，朕要將大事託付給爾。」秀成忙要跪下，洪秀全的頭搖了兩下：「不要，不要。」秀成只得又坐下。「朕歸天之後，太子即位，他還只是一個十六歲的孩子，朕不能放心。」

「陛下放心吧，小官和玕王、楚王、璋王等一定會盡力輔佐太子。」剛一說完，李秀成便覺得回話不得體，應該安慰天王才是。

「秀胞，朕對爾不起。」洪秀全深陷的眼睛裏滾出兩顆淚珠。見此情景，太子嚎啕大哭起來，屋裏所有的人也一齊流淚。好半天哭聲止住，洪秀全繼續對李秀成說：「自楊韋相殘，達胞出走，朕心實對異姓存了戒心，明知爾爲萬古忠義，卻任爾而不信爾。讓城別走，本是良策，悔不該當初未納忠言，鑄下今日大錯。」

「陛下保重！」忠王滾燙的雙手緊緊捏著天王冰冷的手，安慰道，「世賢十萬人馬已到江西。待陛下龍體康復後，還是可以突圍出去的。那時我們轉到江西，再圖復國。」

「秀胞，朕要跟你談的正是此事。」宮女端進最後一碗人參湯，李秀成給洪秀全餵了兩口。

閉目養一會兒神，天王覺得精神好多了，掙扎著坐起來，斜靠在床頭上，叫太子起來，並招呼自己的兄弟和康、林等人都坐下。

「我的病不會好了，我不能和你們一起突圍。」

「陛下，過幾天待你略微好點便突圍。」康祿說。

「那不行。病軀出城，早晚要被清妖逮住，自古有帝王而爲俘囚的嗎？」洪秀全嘴角邊剛露出一絲苦笑，便很快消失了，「朕的事，朕自己已作了安排。現在，朕將天貴福託付給你們。福兒。」

洪天貴福站起。

「忠王、乾王、楚王、璋王，忠義智勇，是朕爲爾選拔的輔佐大臣。你年幼無知，軍政大事，今後一定要聽四王的安排，爾不得亂出主意。四王都是爾的父輩，爾視四王，當如視朕。」

「兒遵命！」洪天貴福恭恭敬敬地說。

「爾當著朕的面，向四位王叔鞠一躬。」

忠王正要攔住太子，他卻已爽快地向大家行了一個禮。於是四人慌忙跪下，向洪天貴福磕了三個頭。

「朕這就算是將福兒託付給你們了。」洪秀全憔悴蒼白的臉上現出一點輕鬆的笑意。

洪仁玕走前一步，滿臉垂淚地說：「陛下安心將息龍體，天京城外還有二十餘萬兵馬，天國一定會復興。」

「玕胞說得好！」洪秀全滿意地望了洪仁玕一眼，又環視其他各人，忽覺精神大振，他以昔日指揮打仗時的剛決口吻說：「朕希望秀胞、祿胞和瑋胞都如玕胞這樣想，也希望天國全體將士都這樣想，即使朕歸天了，天京淪陷了，但天國並沒有亡，我們還有二十多萬人馬。當年金田起義時只不過數千人，只要弟兄們萬衆一心，天國一定會復興。天父天兄跟朕說了，朕的子子孫孫都將穩坐江山。爾等要一心一意擁戴太子。朕死後，太子立即登基，以穩定軍心人心。」

洪秀全說到這裏，歇息片刻，繼續說：「爾等要隨時尋找機會，保護太子衝出京城，到江西去尋找賢胞。一時找不到機會，即使城破之時也還有可能。那時必然四處混亂，清妖的心思都在打劫財寶上，爾等正好趁此時混出城外。後宮袍褂房裏放著一千多件清妖衣帽，這是朕當年有意保存下來的，爾等到時……」

洪秀全正要往下說，忽然一陣暈眩，頭歪過去了，嚇得洪天貴福又大聲哭起來，衆人也慌了，乾王吩咐速傳御醫。一會兒御醫進宮，探探脈後說：「不礙事，話說多了，累的，讓陛下安心休息一會便會好。」

忠王等人悄悄退了下來。

第二天一早，王宮傳出噩耗：天王駕崩了。李秀成、洪仁玕、康祿、林紹璋等人慌慌張張進宮，只見天王仰臥在床上，鼻孔裏流著血，全身已僵硬了。床邊茶几上壓著一張紙條，歪歪斜斜的字跡是天王的親筆：「朕託付已畢，歸天去了，望爾等共扶幼主，重振天國。」

「陛下！陛下！」天王宮裏，響起一片悲愴的哭聲。

九　康祿和五千太平軍將士在天王宮從容就義、慷慨自焚

要攻城非要先拿下地堡城不可，但地堡城偏偏就拿不下。太平軍全力以赴保衛它，每天從太平門裏將炮子火藥源源不斷地運進堡內，選最強幹的年輕戰士替補傷亡。城裏勒緊褲帶，把最寶貴的能吃的東西送給守堡的人。就這樣，雖然天城堡丟掉四個多月了，地堡城卻依然還在太平軍手裏。曾國荃成天暴跳如雷，常常無緣無故地誅殺統兵將領，弄得吉字大營人人提心吊膽。正在這時，朝廷又下達命令，派李鴻章率軍會攻金陵。上諭到達安慶，曾國藩爲之苦惱，叫李鴻章去嘛，利用戈登的洋槍隊，金陵或許可速克，但吉字大營辛苦得來的戰果，讓別人來

摘取，不要說心高氣傲、爭强好勝的弟弟不甘心，就是他自己也不甘心。不叫李鴻章去嘛，金陵拖到哪一天才破呢？火藥糧餉都不可久支，萬一再出點什麼意外事故，功虧一簣，豈不惹天下恥笑？考慮來考慮去，他決定從大局出發，還是要李鴻章速帶洋槍隊援助爲好。並同時決定，一旦李鴻章出兵，他也從安慶啓程，坐鎭金陵城外。這樣，攻城之功，他作爲戰場總指揮，自然列第一；若李鴻章不去，他也就呆在安慶，他不能去搶弟弟的功。

蘇州城裏，李鴻章接到諭旨後也犯難。對於那個曾老九，他是深知的：本事不大，卻眼空無物，自以爲是天下數一數二的英雄。他知道自己一去必然馬到成功，但從此也就與曾老九結下了深仇，還會令恩師心中不快。不去，又違背聖命。李鴻章想來想去，想了一個極好的藉口：盛暑天不宜多用火炮。他便以此覆奏，並分別致函安慶、金陵。

「別人要來搶功了，你們答應嗎？」在吉字大營高級將領會議上，曾國荃出示上諭後厲聲問大家。

「世上有這樣便宜的事嗎？老子們在這裏打了三年，腦殼吊在褲帶上，他們倒來得現成的。李老二他敢來，看我不打斷他的狗腿！」李臣典跳起來大叫大嚷。

「金陵是吉字大營包的，早破遲破，都是我們自己的事，誰也別想過問。」彭毓橘在喊。

「什麼瓨耙洋槍隊，休想在爺爺面前耀武揚威！」劉連捷在罵。

看到手下將領們如此齊心，曾國荃大爲歡喜，他宣布：「明天各營推薦三十人，我要從中挑選一千人出來組成敢死隊，三日之內務必拿下地堡城。各位回去告訴他們，待金陵打下後，敢死隊每人賞銀五百兩，戰死者撫恤銀一千兩。」

曾國荃相信重賞之下必有勇夫的古訓。他最佩服胡林翼的三如：愛才如命、殺人如麻、揮金如土。但第一條他做不到，後兩條他有過之而無不及。果然這一著有效，各營營官爭著報名。坐在一旁的趙烈文冷靜地開了腔：「弟兄們浴血奮戰的成果不能讓別人便宜得去，自然是對的，九帥重賞敢死隊，更是豪傑之舉。但我以爲，使氣用事，蠻攻蠻打，三日之內必不能拿下地堡城，要吸取過去的教訓，改蠻打爲巧取。」

「惠甫，你有什麼巧法子？快說出來。」曾國荃催道。

「龍脖子堡壘仗著它居高臨下的地勢，使我軍損失慘重，的確可惡至極，然又不可仿照四面包圍打山上石壘的辦法，因爲它與城內緊緊相連，圍不住。」趙烈文皺著眉頭，慢慢地說出他的辦法，「因此我們還得正面進攻。古時打仗，兩軍對壘，一手持矛，一手持盾，矛攻盾擋，各自有它的用處。賊在石壘中，炮爲矛，壘爲盾，可攻可守，我軍只有炮而無壘，也就是說只有矛沒有盾，我們要造盾。」

「造盾？」李臣典丈八金剛摸不著頭，「炮子打來，你什麼盾擋得住？」

「祥和兄，你聽惠甫說下去，我想他的盾一定不是用牛皮做的。」康福說。

「當然不是牛皮。」趙烈文笑道，「我們也築一道牆。」

「只怕是牆未砌好，人都被炮子打得死盡了。」朱洪章插話。

「大家莫著急，聽我說完，看我的主意行不行。」趙烈文仍舊不慌不忙地說，「我們學鄉下人編竹籬笆的辦法，用蘆葦、竹枝和木條編織幾十個丈把長、八尺高、兩尺厚的籬笆，然後再將稀泥調好塗在上面。就樣就成了一堵厚實的牆。再在下面裝幾個輪子，人在後面推著它向前走，大炮跟在後面。這竹籬笆不就是盾嗎？

「惠甫這個辦法好是好，但它能擋得住炮子嗎？丈把長八尺高二尺厚的籬笆，即使裝輪子能推得動嗎？」康福提問。

「二尺厚的籬笆，炮子可以擋得住，開花炮擋不住。」曾國荃說，「八尺高不必要，做五尺高就行了，長子稍微彎彎腰也能擋住。爲了減輕重量，還可把一丈長改爲七八尺長。」

「九帥說的對。」見曾國荃支持，趙烈文高興，「籬笆牆能擋炮子，不能擋開花炮。這半個月來長毛沒有打一發開花炮，我估計是開花炮不多了，故可用籬笆牆。其它尺寸，都按九帥說的減下來。」

許多將領都說這個辦法可以試試，曾國荃便命趙烈文趕緊監製。

次日，十五個高大結實的滾動籬笆牆製成了，由彭毓橘等人率領的敢死隊也已組成。第一批敢死隊三百人推著五道活牆向地堡城前進，在離堡三百丈遠的地方停下來。堡裏的太平軍不知湘軍推的是何物，密集的炮子射過來。只見炮子打在籬笆上，發出「撲撲」的響聲，全讓籬笆給吞掉了。湘軍得意了，忙裝設炮彈。一發發開花炮開始在地堡城旁邊轟炸，有的籬笆又大膽地推進五六十丈，炮彈打碎了部分石塊。地堡城指揮軍沐王何震川命令打開花炮。正如趙烈文所猜測的，堡內的開花炮彈已不多了，不到危急時不用。開花炮彈果然厲害，一發炮彈打過去，籬笆立即被炸成一個大窟窿，後面的湘軍跟著死了一大片。敢死隊員們嚇怕了，走在前面的籬笆又退了回來。幾十個開花炮彈打過來，五個籬笆牆炸得稀巴爛，三百名敢死隊員也死去多半，彭毓橘的半邊耳朵被削去，血流滿面。趙烈文臉色灰白，擔心曾國荃會狠狠地訓他。誰知曾國荃兇惡地下令：「第二批上！」第二批三百敢死隊員個個心怯，面面相覷不敢貿然向前。劉連捷提著大刀跳出，手起刀落，旁邊一根木樁劈成兩截，打雷似地吼道：「都給我向前衝，有後退不前的，就是這根木樁！」敢死隊被鎮住了，只得提心吊膽地推起籬笆向前走。老遠地，炮就打起來。地堡城裏又射出幾發開花炮彈，有兩個籬笆牆被炸爛，劉連捷督促後面三個繼續上。三個籬笆牆慢慢向前推著。奇怪！籬笆上只傳來「撲撲」的響聲，再也聽不到開花炮彈的炸裂聲了。

「九帥，長毛的開花炮彈打完了！」趙烈文對著曾國荃大叫。曾國荃拿起掛在脖子上的千里鏡，一聲不響地望著前方。三個籬笆牆明顯地加快了速度。離堡壘只有二百丈了，炮眼裏仍然不見開花炮彈打出，連炮子也稀少了。「第三批上！」曾國荃揮舞著指揮刀命令。朱洪章應聲衝出，一邊喊「上」，一邊脫掉早已汗濕透了的上衣和長褲，光著赤膊，穿著短褲裙，敢死隊紛紛仿效，人人光身上前，八個籬芭牆一齊前進。他們在重賞驅使下，欺侮太平軍沒有開花炮彈了，仗著西洋大炮的威力，毫無忌憚地向地堡城推進。另外一些湘軍則對著太平門城樓發炮，將城牆上的火力壓住。

「沐王，還有五個開花炮彈，放了吧！」堡裏的士兵請示何震川。

「讓他們再上前些吧！」何震川望著山下步步逼近的活牆，冷靜地指示。這時，沒有籬笆作盾牌的成千上萬湘軍勇丁，在營官的驅趕下，蜂擁蟻附般地向山麓奔來。

「放！」何震川下令。一個開花炮打出去，眼看它鑽進了籬笆牆，卻沒有一點聲響。「糟了，是個啞炮！」原來，這剩下的五個炮彈是最底層的一排，直接與地面接觸。這時正是六月初。六月的金陵本是一個大火爐，這地堡城裏填滿了三百多個兵士，更是擠得密不透風，酷熱難熬，汗水猶如雨水般地流下，地堡城裏的泥地變成了泥漿。這五發炮彈壓在泥漿深處，給汗水浸泡著，引信已完全失效。另一發炮打出去，又不響。太平軍恐慌起來。「打炮子！」何震川冷冷地下令。再强烈密集的炮子也擋不住湘軍前進了。一發開花炮彈打在地堡城上，炸開了一個天窗，又一發打進來，十幾個戰士倒在血泊中。何震川親自點火，吼道：「弟兄們，今天我們一起上天堂去見天王吧！」一發又一發的安慶造、西洋造開花炮彈接二連三地打了進來，何震川倒下，三百多名太平軍將士倒下了，地堡城從龍脖子上消失了。

地堡城丟掉後，天京城外再沒有堡壘。天天驕陽似火，晴空萬里，在城內三萬軍民看來，卻是陰霾滿天，連三歲小孩都知道，天京的陷落就在這幾天了。城內這些人都是天國最忠誠的子民，沒有人想到要外出逃生。一切都豁出去了，天地萬物，包括日月星辰都不復存在，存在的只是自身和城外的清妖。他們也沒有保衛天京的概念了，活著的目的就是多殺幾個清妖，死了就拉倒。早些天，還有些母親把幼小的孩子送去城外，她們不忍心看著孩子和自己同歸於盡。後來，女人們看到城外牆腳下橫排著一具具小孩的屍體，便連這點想法也打消了。全體軍民都投入了挖井。一旦井與地道相遇，就引燃火藥包往下丟，地道立即被轟掉。沒有火藥了，則倒污水、糞便。就這樣，硬是把一個個地道堵住了，天京城奇跡般地又屹立了半個月。

同治三年六月十六日清晨，曾國荃帶著全體將官們來到太平門外，對大家說：「李軍門的信字營昨夜幹了一通宵，挖穿了三個地洞，幸而沒有被長毛發現，即將點火爆炸。三個地道，至少有一處炸開城牆。誰願當先鋒，最先從缺口處衝進去？」

衆將官們你看著我，我看著你，都不作聲。大家心裏都明白。城裏的太平軍已是孤注一擲了，城牆缺口一開，必然會拚死堵住，何況早就聽說他們沿城牆內側挖了一道又深又寬的壕溝，裏面插滿了竹籤、荊棘，最先衝進去的人，無異作了塡溝的磚石。曾國荃又問了一聲，還是沒有人回答。朱洪章忍不住了：「平日大家都說深受皇恩，今日正是報效的日子，爲何都畏葸不前。依我看，乾脆按職務高低排先後名次。」

當時衆將官中，鮑超、蕭孚泗分別爲實授浙江、福建提督，職務最高。鮑超爲一個方面軍的統帥，自然不合適，且他不是吉字大營的，大家也沒有想要他當先鋒，他因而不作聲。蕭孚泗也不作聲。其次爲記名提督、河南歸德鎮總兵李臣典。李臣典對朱洪章說：「你的建議很好，我的職務比你高，但信字營前日挖地道未成，四百精壯全部死在洞中，昨夜一千人通宵未睡。你的煥字營借給我，我當先鋒。」

朱洪章冷笑道：「我的煥字營借給你？你欺負我不會指揮嗎？」他瞟了一眼蕭孚泗，「娘的，平日喊得比誰都響，過硬時啞了喉。九帥，朱某人願帶煥字營作先鋒！」

「好，英雄！」曾國荃按劍環視四周，「朱總兵當了先鋒，下面便不自報了，都聽我安排！」各將悚然聽命。

曾國荃宣布：「朱洪章率部從缺口衝入後，急速進攻僞天王宮北門。康福率部隊繼朱洪章之後進缺口，包圍僞天王宮西門。李臣典率部繼康福後進城，一同打僞天王宮西門。蕭孚泗、熊登武率部從朝陽門、洪武門打進，然後圍僞天王宮東門。劉連捷、張詩日率部從神策門進攻，肅清天京城北。彭毓橋從通濟門進城，直奔僞天王宮南門。各路只許向前，不能後退；前進者賞，後退者誅！」

「九帥，霆字營呢？」鮑超見各路人馬都已分派，唯獨沒有提到他的部隊，以爲把他疏忽了，因爲霆字營一向都在城外獨立打仗。其實，曾國荃並沒疏忽，他有意不派霆字營攻城。攻克金陵的首功，只能歸他和他的吉字大營獨佔，別人不能染指他，彭玉麟、楊載福的水師尚且沒有進城的任務，何況因常打勝仗使曾國荃嫉妒不已的鮑超。

「鮑軍門，霆字營有更重要的任務。」曾國荃指著城牆說，「金陵十三門，我已安排彭侍郎、楊軍門把守水路各門。鍾阜門、金川門、神策門、太平門、朝陽門、聚寶門與陸路相連，這六個門都由霆字營把守，若有一個長毛從這六個門裏逃出去，我唯你是問！」

鮑超再憨，也知曾國荃的用心，無奈他軍權在握，只得忍氣聽他的。

曾國荃吩咐完畢，各將正要分頭行事，忽然一個身穿破爛長衫、留著雜亂白鬍鬚的老者分開眾人，徑直來到曾國荃面前，跪下叩頭，大聲說：「九帥，老朽有幾句話要敬獻。」

眾將驚訝，曾國荃也覺得稀奇，莫非此老頭有攻城的絕妙之策？他將兩手交叉放在胸前，彎了彎腰，盡量裝出一副和藹的態度對老者說：「你有什麼話，請說吧！」

老者又叩了一個頭後才說：「九帥，你的大軍就要進入金陵城了，這是天意，老朽特來恭賀。」

曾國荃臉上露出得意之色，奉天意進金陵，士人獻賀辭，今後載在史册上，一定是生動的一頁！

「自古得勝進城之將，有嗜戮者，有仁厚者。」老者繼續說，「嗜戮者如楚霸王，入咸陽時火燒阿房宮三月不熄，千古留下駡名；仁厚者如曹武惠，進金陵時不妄殺一人，禮遇南唐後主，百世讚不絕口。老朽願九帥做仁慈寬厚之曹武惠，城破之時，兵不血刃，優待天國君臣，封存宮府錢庫，保護文物圖冊，留一個美名傳給後世子孫。」

曾國荃尚未開口，一旁急於發大財的吉字營將領早已厭煩。李臣典衝上前去，一把抓起老頭，嚷道：「哪裏來的長毛說客，花言巧語亂我軍心，老子宰了你！」說完掏出新得到的英國造新式短槍，老頭嚇得直哆嗦。朱洪章過來，順手一個巴掌打得老頭口流鮮血。蕭孚泗駡道：「老不死的！什麼優待長毛，封存錢庫，一派胡言亂語！」在這批虎狠面前，老頭早已嚇得半死。還是曾國荃記起剛才設想的那生動的一頁，笑著對李臣典等人說：「放了他吧，他也是一番好心。」老頭一聽，慌忙抱頭鑽出人羣，撒腿跑了。衆將官大笑不止。

曾國荃揮舞那把王氏祖傳寶劍，大聲下令：「不要理會這個老頭子的酸腐之言。兵不血刃，還打什麼仗？九帥不想做曹彬，大家放心大膽去燒殺吧！」

午刻，曾國荃下令點火，只聽見三聲驚天動地的轟鳴響過後，靠近太平門一帶的城牆出現一個二十多丈寬的缺口，朱洪章率煥字營衝到缺口中。缺口兩邊聚集著數千太平軍將士，一時間炮子、槍子、石塊、刀矛都向缺口飛來。煥字營的將士也殺紅了眼。雙方在缺口內外激戰半個時辰後，除朱洪章等少數幾個人外，煥字營先鋒隊四百多人全部喪命。康福、李臣典趁勢率部從後面衝入，他們踏著湘軍和太平軍的屍體，居然一聲呼嘯，最先進了城。接著，後面的人馬成千上萬地跟上來，城內的太平軍紛紛向城中心撤退。康祿騎在一匹羸弱的戰馬上高呼：「弟兄們，都跟我進天王宮！」

此時儀鳳門、鍾阜門、金川門、神策門、太平門、朝陽門、洪武門、通濟門、聚寶門、小西門、旱西門、清涼門都相繼失守，忠王、乾王、璋王先後率殘部進了天王宮。幼天王洪天貴福已嚇得驚慌失措，後面跟著兩個小王娘，從宮中的望樓上跑下來，拉著忠王的衣襟哭道：「四周都是清妖，我們怎麼辦呢？」兩個小王娘更是披頭散髮，涕淚交加。幼天王的兩個弟弟，十三歲的光王、十二歲的明王也哭哭啼啼地過來，站在李秀成身旁。看著眼前的慘景，李秀成心裏萬分難受。他勉強露出一絲笑容，安慰幼天王說：「陛下莫怕，到天黑時，我保護陛下衝出去。」

「庫房裏有清妖的衣帽！」危急中，林紹璋突然記起了洪秀全的遺囑。衣帽很快找出來了。李秀成挑選出一千多名年輕的戰士，換上了清軍的衣帽。李秀成對洪仁玕、康祿、林紹璋說：「這一千多號人由我統率，無論如何要保護幼天王衝出去，你們各人也都率一支軍隊，保護兩位王娘和光王、明王逃出去。三更後我們都從天王宮出發，大家都要江西去找世賢，一個月後，我們在世賢那裏再相會。」

「忠王，你到王府去看看吧，王太后、王娘和殿下都還沒作安排哩！」康祿第三次提醒李秀成。

「好吧，我去去就來。」李秀成說完，騎馬向忠王府奔去。半個時辰後又回到天王宮。

「家裏如何安排的？」洪仁玕問。

「我都託付給李容發了，生死存亡，聽之於天，我已顧不得這麼多了，眼下是保住幼天王要緊。」洪仁玕看到，李秀成的眼眶裏已充滿了淚水。

天色黑下來了。天京城裏到處展開了肉搏戰。湘軍每前進一步都很艱難，大街小巷，屍橫遍野，血流漂杵。信王府被攻破了，信王洪仁發被殺。勇王府也被攻破了，勇王洪仁達不知去向。除天王宮外，這兩府是天京城內最富有的王府。洪仁發、洪仁達兩兄弟沒有別的本事，只知聚斂。十年間，兩王府搜羅珍寶無數，金銀滿屋。頃刻之間，它們都變成了湘軍的財產。

已是深夜了，趙烈文見各路人馬都在城內四處搶掠，一擔一擔的綾羅綢緞、珠寶金銀從城門挑出，這些將領們只顧搶眼前的財物，似乎忘記了還有個內城天王宮。趙烈文看在眼裏，很焦急，他飛馬跑到缺口邊的一個小棚前，向正在這裏的曾國荃報告。一進屋來，只見曾國荃歪躺在一堆柴草上呼呼大睡，鼾聲如雷。望著滿臉汗污黑瘦如猴的曾國荃，趙烈文眞不忍心叫醒他。曾國荃已經三天三夜沒有睡覺了。

當炸藥轟響，城牆炸開，朱洪章、康福帶著大隊人馬衝進城的那一刻，曾國荃心中懸著的千斤重石砰然落地，他一下子倒在柴草上，立時昏然睡去，任外面火光熊熊，炮彈震耳，人喊馬叫，撕天裂地，曾國荃什麼也不知道了。但現在不行，外城雖破，內城未克，僞幼天王、忠王、乾王、楚王等要犯一個也沒擒拿到，若將士們只管搶奪錢財，放走了這些要犯，必是這場勝仗中的極大損失。一定要叫醒他！趙烈文打定主意，大聲喊：「九帥，九帥！」一邊用手推，好不容易曾國荃才睜開惺忪的眼睛。「九帥，將士們只顧搶東西，沒有進僞天王宮，僞幼天王、忠逆都沒拿住，這樣下去不行。你要趕緊進城督師，進攻天王宮！」

趙烈文連珠炮似地說了一大通，曾國荃渾身無力，站不起來，心裏想，今夜不攻天王宮也好，打下後他們必定會趁黑洗劫一空，自己不就一點都得不到？曾國荃半眯著眼睛對趙烈文說：「惠甫，將士們辛苦了幾年，拿點東西，不要大驚小怪。你代我下令，不要放走僞幼天王等人，我要回孝陵衛去好好睡一覺，明天再打天王宮吧！」

一個親兵上來，背起曾國荃出了小棚子。趙烈文搖搖頭，掃興地跟著出來。只見城內火光更大了，直將天空映成一片橘紅，喧鬧之聲震耳欲聾。此時正交三更。

天王宮裏，李秀成將洪天貴福扶上馬，帶著一千多裝扮成清軍的兵士們趁亂走出，後面跟著洪仁玕、林紹璋等人率領的兩支人馬，共二千餘人。楚王康祿不願衝出去，他看到王宮裏有幾千斷手殘腳的將士，他們已不能行動，遂決定留下來，和這些將士們一起盡最後一分力量保衛天王宮。

剛出王宮不遠，幼天王的馬便跛了腳，李秀成將自己的戰馬「漫天雪」讓給幼天王，順手把旁邊一匹馱行李的馬牽過來，扔掉行李充坐騎。沿途遇見的盡是忙於搶東西的湘軍，誰也沒有想到這支隊伍中竟藏著幼天王和忠王。他們穿街串巷來到太平門邊，只見缺口處無一人在，大家暗自高興，感謝老天王在天之靈的保佑，急急忙忙穿過缺口逃出城外，三支人馬合在一起，向南而去。

就在二千多人快要全部出完時，趙烈文進城來了。他看看不對頭，爲何這些人不像湘軍那樣大擔小包的呢？他們每人手中只有一件武器，出城時行色匆匆。趙烈文驅馬走近一看，糟了！他們全是滿頭長髮！「長毛跑了！」趙烈文大聲喊叫，無人理睬。一刻鐘後，劉連捷帶著幾個人提著燈籠過來。

「南雲，剛才一隊長毛跑了，說不定僞幼天王混在中間。」趙烈文急著告訴劉連捷。

「眞的？你看清楚了，有多少人？」

「黑燈瞎火的看不清楚，怕總有千把人。」

「朝哪個方向跑了？」

「南邊，快去追吧！抓到幼天王，那可是第一功呀！」趙烈文催著。劉連捷打一聲口哨，喚來幾百人，從缺口中走出，沿著城外馬路，向南邊追去。

第二天凌晨，康福帶著一支人馬最先來到天王宮的外城——太陽城。出乎意外，他們在這裏並沒有遇到强烈的抵抗，湘軍順利地衝進了太陽城。一座金碧輝煌的宮殿出現在他們的眼前，這便是天王宮的內城——金龍殿。傳說小天堂的財寶大半聚集在這裏：金龍殿裏的楹柱上塗的是眞金粉末，殿裏陳列的每一件物品都是稀世珍寶，誰要是有幸得到其中一件，都夠他一輩子盡情揮霍享樂。湘軍官兵人人眼裏射出貪婪的慾火，捨生忘死地搏鬥這些年，不就是爲著這一刻的到來嗎？他們正要瘋狂地衝過去，卻突然看見了一幅奇異的場面，一個個驚得目瞪口呆，半天回不過神來。

金龍殿四周密密麻麻地站著幾排太平軍，足足有五千人以上。他們一個個衣衫破碎，血跡滿身，長期的飢餓和惡戰，已使他們脫了人形，兩隻深深凹下去的大眼睛，像兩個漆黑無底的深洞，直呆呆地望著前方，望著漸漸增多、漸漸靠攏的仇敵，臉上無絲毫表情。他們之中有的手殘缺了，只剩下一個空洞洞的衣袖；有的腳斷了，則用一根棍矛支撐著。大家身子緊挨著身子，胳膊緊挽著胳膊，靜靜地，默默地，像石壘的堤壩，像鐵打的圍牆，保衛著他們心中最崇高最聖潔最景仰的天國的象徵——金龍殿。

康福被眼前的場面感動了。那天夜晚潛入楚王府，與弟弟一席深談後，回到軍營，他好幾夜沒有安穩地睡過覺，既為弟弟革故鼎新的豪邁氣概所震懾，更敬慕他忠於信仰、義無反顧的高風亮節。內心深處，他為自己有這樣一個英雄蓋世的弟弟而自豪。還是在少年時期，父親給他們兄弟講史的時候，就意味深長地指出：莫以成敗論英雄。中國歷史上有許多失敗的人物，無論就其事業而言，還是就其個人品德而言，都是高尚的，相對於他們的對立面——勝利者來說，他們都更加令人尊敬，他們之中有些人的失敗，恰恰就在於其人格的光明磊落。康福記得，父親每講到這種觀點時，心情都顯得有些激動。從楚王府回來後他想：弟弟就是屬於這種失敗的英雄之列。不過，那時，他只在千千萬萬的太平軍將士中看到自己的弟弟一人，而今天，他看到五千多個和他弟弟一樣的英雄，他們一個個都如此高大，如此威武，雖是敵人，卻不得不令他敬佩。

康福胸中波濤翻滾，不能平息。再定睛細看，他更被震驚了：人牆的前面分明已架好了一道兩尺來高的乾柴，將後面的太平軍緊緊包圍住。有幾個人在給乾柴澆油。他們神態安詳，氣宇寧靜，如同農夫在灌園，如同園丁在澆花，站在對面二十三丈遠、手持刀槍、兇神惡煞般的湘軍，在他們的眼中似乎並不存在。

康福愣住了。他身後的湘軍將士們也愣住了。大家都看出了這羣太平軍的意圖：他們要點火焚燒，要將自己和這座金龍殿一齊化爲灰燼！一時間，誰也不知怎麼辦，都站在原地不動，像看戲一樣地等待著即將出現的場面。只有李臣典偷偷地掏出那支英國新式短槍，對著站在前面的康福瞄準。

李臣典一直在尋找康福，要悄悄地幹掉他。李臣典和康福並無前嫌，他要殺康福，僅僅因爲康福是第一個衝進金陵城的帶兵將官，他因此而屈居了第二。做第一個衝進金陵城的將官，這是他垂涎已久的目標，但他又不願意充當先鋒。他知道這個先鋒十之八九是替死鬼，他要跟在先鋒的後面踏進缺口，要踩著先鋒的屍體進城，誰知康福搶先了一步。所以，他要殺康福。

沒有了康福，他就成了帶兵衝進金陵城的第一人。

康福看著看著，突然，心中湧出一股從未有過的巨大悲哀。他覺得自己不是一個勝利者，而是一個扼殺善良弱小生命的劊子手，是一個毀滅高尚純潔靈魂的惡魔，是一個該受詛咒懲罰的歷史罪人。想到這裏，他那隻握刀的手輕輕地顫抖起來。正在這時，他看到金龍殿前的人牆中走出一個三十來歲的青年。那青年雖形容枯瘦，卻仍然腰桿挺直，有一副威武不能屈的氣概。他一隻手高擎著火炬，邁著穩重的步伐，向澆了油的乾柴堆走去。天啦！康福在心裏驚叫起來，這不是自己的胞弟康祿嗎？

自從那次策反不成後，康福日日向蒼天禱告，希望弟弟早點離開金陵。昨夜聽說有支千人隊伍從缺口中衝出，他那時正在旁邊，有意將部隊調開。他想弟弟一定在這中間，讓他好好地逃走吧。誰知弟弟竟沒有走，他要和他的弟兄們一道，自焚報效他們的天國！康祿一步一步走近了柴堆，康福越來越害怕，雙眼慢慢變得模糊了。終於，眼前升騰起一串熊熊的烈火，給巍峨高聳的金龍殿添上數萬道耀眼的光輝，將五千太平軍將士映照得如同金鑄銅打的羅漢……

這火越燒越旺愈燒愈烈，像一條火龍，將偉大天國的象徵和它的忠誠衛士緊緊地纏繞著。不論是在世界史冊上，還是在中國史冊上，這無疑都是一幅絕無僅有、震撼天地的畫卷！

它是雄偉的。這把火將人類執著的追求、崇高的理想送上了眞正的天上聖殿，它必將令萬衆敬仰，子孫膜拜。

它是悲壯的。這把火將人類的精英、宇宙的脊樑無情地吞噬了，它必將激起更強烈的反抗，更勇敢的鬥爭。

它是深沉的。這把火本應焚毀腐朽與黑暗，卻爲何轉了向？美好與光明如何才能獲得？它必將留下深刻的教訓、深沉的思索。

它是永恆的。這把火將五千忠骨化爲最純潔的灰燼，讓它們灑向藍天，飄落在山川湖泊之上，安臥在蒼茫厚實的大地之中。它必將與山河同在，與日月永存！

康福看著這幅雄偉、悲壯、深沉、永恆的畫卷時，他的腦子裏沒有我們今天的讀者想得這樣多，這樣富有歷史感，他只覺得心如刀絞，想喊喊不出，想衝衝不動。人生能有這樣的悲哀嗎？深愛弟弟的哥哥，卻親手將英雄的弟弟逼上了絕路，而且還要親眼看著他死得如此從容，如此慷慨，如此驚天地泣鬼神，如此前無古人後乏來者！

康福那顆對弟弟有著深厚摯愛的心被割成了一條條、一塊塊；他的頭腦似乎受了重重的敲擊而開始清醒。他的破碎的心在絕望地狂呼：「天啦，你何不讓我死去！」就在這時，一顆子彈從他的背後射來。康福搖了兩下，又站定。他艱難地扭過頭去，看見了李臣典那張兇惡猙獰的臉。「兄弟，哥哥跟著你來了！」康福無力地唸著，慢慢地倒下了。

「弟兄們，我們衝過去，大殿裏有數不清的金銀財寶，不能叫長毛燒掉呀！」李臣典舉起手槍，在後面狂呼亂喊，數千圍觀的湘軍彷彿如夢初醒，爭先恐後地向金龍殿猛撲過去。

第七章　審訊忠王

一　威震天下的忠王被一個獵戶出賣了

臨近拂曉，李秀成醒過來了，全身已被露水打濕，一陣晨風吹過，他感到一絲涼意。幼天王和干王、章王早已不知去向，四周一個人也不見，先前的吶喊聲、追殺聲已經平息，遠處樹叢中傳來幾聲鳥雀的啁啾，它們在迎接又一個平凡而寧靜的早晨。只有眼前七零八落的斷戟殘戈、爛盔破甲，東一片西一片倒伏的茅草，和幾處猶自冒烟的樹莊，顯示出不久前這裏是一塊激烈鏖戰的沙場。李秀成記起昨夜是被馬顛下來的。沿著路坡滾下去後便失去了知覺。他試著動了動手脚，幸而沒有受傷。天色慢慢亮了，李秀成四處張望，連那匹駑馬也不知跑到哪裏去了。他認出這裏是方山，離天京城只有五十多里。此地正當大路，不能久停，李秀成順著一條羊腸小道向山裏走去。

走了三四里路，前面出現一座破敗的土地廟，李秀成想去廟裏躲避下。剛到廟門邊，一股惡臭傳來，裏面竄出幾隻六七寸長的灰黑大老鼠，他感到一陣眩暈，打消了進廟的念頭，在廟旁一塊青石板上坐下。太陽出來了，身上燥熱不安。李秀成這時才注意，自己渾身上下都是灰塵、血漬和草屑。環顧四周無人，他將緊箍在兩隻手臂上的十只金鐲子、戴在手指上的二十只金戒指全部褪下來，又從口袋裏掏出十多個金元寶，摘下頭巾，把它們包好，掛在石板邊一棵小樹杈上。然後離開土地廟，去找一個有水的地方洗洗臉和手脚。

走出一里之外，李秀成見到一泓清澈的溪水。他來到水邊，脫去上衣，慢慢地洗手洗臉，心裏盤算著下一步如何走。正在這時，一陣嘈嘈雜雜的人聲傳來，李秀成警覺地站起，迅速把上衣穿好，猛地聽到一聲喊：「這裏有個太平軍！」原來，李秀成未戴頭巾，一頭濃密黑髮撒在肩上，甚是引人注目。李秀成拔腿就向草叢跑去。慌亂之間，上衣袋裏的散碎銀子掉了出來，那羣人在後面緊追，高聲叫喊：「你把身上的銀子都交給我們，我們不要你的命！」李秀成哪敢停留，繼續奔走。無奈又累又餓，兩脚無力，一不小心，絆在一根青藤上，摔了一跤。後面追的人趕上來，將他抓起，兩個年輕漢子就要搜身。

「且慢！」一個中年男子把兩個年輕人攔住，仔細將李秀成上下端詳。他越看越驚奇，終於確認了：「這不是忠王爺爺嗎？」李秀成正要否認，只見這幾個人一齊跪下，口裏喊道：「忠王爺爺，你老人家受苦了！」說罷，都哭了起來。李秀成見此情景，也就不再隱瞞了：「弟兄們請起，我就是李秀成，你們都是什麼人？」

那中年男子邊哭邊說：「我叫邢金橋，這幾個人是我的兄弟子侄。我們邢家世代開藥店行醫。上個月，我帶子弟出城謀食，信王的衞兵把守城門，要我們每人交四兩銀子才放行。我一文錢都沒有，哪裏拿得出這多銀子！我磕頭哀求寬免，毫無作用。幸好你老人家路過那裏，送給我們銀子，我們一家才得以出城活到今天。你老人家如何在這裏？」

邢金橋說的事，李秀成已記不起了，送銀子給出城的老百姓，倒是常有的，他相信說的是事實，於是將昨夜的事情簡略地說了一下。邢金橋說：「忠王爺爺，方山周圍都是湘軍，你一時出不去，先到我家去躲避幾天吧！」

「好吧！」李秀成剛邁步，忽然記起掛在樹杈上的包包，「等一等，我有一包金子掛在土地廟前的樹上，待我去取了來，送點金子給你們。」

邢金橋說：「我們和你一起去。」

李秀成帶著衆人急匆匆趕到土地廟，走到小樹邊看時，那布包已不翼而飛了。「怪事！是哪個拿去了呢？」李秀成四處張望，不見一個人影。

「可能是陶大蘭拿去了。」邢金橋的弟弟玉橋說。

「你怎麼知道？」金橋問。

「剛才你跟忠王爺爺說話的時候，我看見陶大蘭急急忙忙從對面小路下山去了，正是從土地廟那邊過來的。」

「陶大蘭是什麼人？」李秀成問。

「他是鄰村一個獵戶。」邢金橋說，「等會兒我們去問他要來。忠王爺爺，你老現在跟我們一起下山吧！」

天京都丟了，還在乎這包金子！李秀成對邢金橋說：「算了吧，不要找姓陶的了，免得張揚出去。」

「不能讓那小子發了橫財，一定得要回來！」邢金橋氣憤地說，他心裏也想得這筆橫財。

邢家兄弟把李秀成領進家門，將門緊閉，吩咐婆娘燒水做飯，又找了幾件破舊衣服來替他換了。吃了飯後，邢金橋拿出一把剃刀，對李秀成說：「忠王爺爺小人給你老人家剃頭了。」

「什麼？剃頭！」李秀成憤怒地瞪起了眼睛。

「忠王爺。」邢金橋低聲下氣地說，「小人也知道你老人家不願意剃頭，小人剛出城時也不情願剃，但不剃太顯眼，隨時都會被官府捉去。眼下天京陷落，湘軍四處在抓太平軍，方山離天京只有五十里，四面八方都是朝廷的人，你老不剃頭，如何保得了性命？」

「哎！」李秀成無可奈何地嘆了一口氣。邢金橋說的是實話，總不能因頭髮而送了命吧。「你剃吧！」李秀成閉起眼睛，剃刀在頭頂上刷刷作響，猶如刀切他的肉一般痛苦。剃完了頭，邢金橋說：「忠王爺，你就在我家好好睡一覺，我到外面去打聽打聽。」

李秀成剛入睡，邢玉橋便進來了。

「哥，忠王爺呢？」

「睡著了。」金橋指了指裏層。

「正好趁這個機會，我們去陶家把金子要過來。」邢金橋很急。

「那小子刁渾得很，他哪裏會肯。」

「能容他不肯嗎？無論如何都要拿過來。」邢金橋也不是個好惹的人。

陶家村的獵戶陶大蘭，昨夜在方山守了一夜的陷阱，一無所獲，天亮下山路過土地廟，意外得到李秀成那包金子，笑得口都歪了。他對著土地廟重重地磕了三個響頭，一溜烟跑回家，找了個罎子，將這包金子裝在罎子裏，深深地埋在自家後園菜地中，再移來幾株白菜在上面。陶大蘭剛把這一切忙好，坐在椅子上休息的時候，邢家兄弟進了家門。

「早呀！兩位老弟。」陶大蘭心裏高興，招呼客人比往常熱情得多。轉念又想，這邢家兄弟平素從不登門，今天一大早來，莫不是走漏了風聲。陶大蘭心虛，臉上的笑容就更多了。

「陶大哥，你今早發了大財！」邢玉橋是個急性子，不曉得打彎彎，開門見山的挑明了來意。

陶大蘭先是一驚，隨即馬上鎮定下來，依舊笑著說，「莫說笑話了，我陶老大一個窮趕山的，哪裏發了財！昨夜在山上空守了一夜，連個兔子都沒逮到。」

「陶大哥，不要裝迷糊了。」邢金橋拍著他的肩膀，「今早土地廟前樹權上掛的那個包包，是你拿走的吧！」

「沒有，沒有！」陶大蘭臉色開始發白，嘴上卻很硬，「我今早下山，根本沒經過土地廟，我是從前山大路上回家的。」

「好哇！姓陶的，你還要賴帳，這是什麼！」邢玉橋衝到牀邊，將涼席上一塊明黃頭巾抖起。

原來這正是李秀成包金子的頭巾，陶大蘭將金子放進壜子裏時，一時大意，這塊頭巾沒有藏好。

「這是我老婆的頭巾。」陶大蘭急中生智。

「你老婆的頭巾？你老婆好大膽，敢用這樣的頭巾！」邢玉橋尖聲冷笑著，將頭巾抖開，那頭巾四個角，每個角上都用赤絨綉了一條龍。陶大蘭當時被金子照花了眼睛，沒有細看頭巾，這時一見，全身癱軟了。

「陶大蘭，你知道那是誰的金子嗎？」邢玉橋站在陶獵戶的面前，昂首挺胸，儼然一副審判官的姿態。陶獵戶氣餒了，心裏咚咚亂跳。「實話告訴你吧。這包金子不是別人的，乃是太平天國眞忠軍師忠王李秀成的，你好大的狗膽，竟敢拿他的金子！你今天把它交出來萬事皆休，若不交出來，你的命難保。」

陶大蘭一聽，驚得半天不作得聲。他不是傻子，今早得到這包金子時他就在想，誰有這多金子呢？又爲何不放在家裏，要掛在樹上呢？他先想可能是强盜的。一個强盜打劫了這包金子，掛在這裏，約好等另一個人來取。後又想天京城這幾天炮火連天，也許是城內大官的，也可能是湘軍搶的，但爲何要掛在樹上呢？他左想右想，想不出個名堂來，也就算了。陶大蘭回過神來，問：「你們怎麼知道是太平天國忠王的呢？」

「忠王親口對我們說的。」邢金橋頗爲自豪地說。

「忠王現在哪裏？」

「在我家，怎麼樣？要不要我帶你去見他！」邢玉橋得意地說。

忠王出了城，天京莫不是被朝廷攻破了？一個邪惡的念頭在陶獵戶的腦中浮起。他臉上又泛起了笑容：「兄弟，實不相瞞，掛在土地廟樹上的那包金子是我拿了，我不知道是忠王爺的。他老人家愛民如子，我怎能昧著良心拿他的，只是這包金子現不在我這裏，我已轉到妻弟家去了。你們先回去，今天夜裏我把金子送到你家，並當面向忠王爺請罪。」

邢家兄弟見陶大蘭說得懇切，相信了：「你今夜務必送來！」

「今夜不送來，我陶大蘭遭雷打火燒，過不了今年！」陶大蘭賭咒發誓。

待邢家兄弟出了門，陶大蘭立即從後門溜出，向天京方向奔跑。他有個堂弟名叫陶大芷，在湘軍一個兵營裏當馬伕，這個兵營紮在離陶大蘭家十五里處的東山，平日無事時，陶獵戶常去他堂弟那裏坐坐，混兩餐飯吃。陶獵戶要把這個消息告訴堂弟，讓他稟報上司，派人來捉李秀成和邢家兄弟。他想李秀成和邢家兄弟抓走了，他就可以穩穩當當地占有那包金子了。陶獵戶一口氣奔到東山兵營，正碰到堂弟牽馬出來。

「大芷。」陶獵戶氣喘咻咻地對著堂弟的耳朵悄悄說了幾句話。

「當眞？」陶大芷驚喜萬分，抓住忠王，可是一件特大功勞啊！陶大芷立即把這個驚人的消息報告營官，這個營隸屬於蕭孚泗部。蕭孚泗命令營官親自帶一百人，悄悄隱蔽在方山中。

這天半夜，陶獵戶帶著湘軍將邢金橋的家嚴嚴實實地包圍起來，把熟睡中的李秀成抓了，邢金橋也被抓走。陶獵戶又帶著人到村尾去抓邢玉橋。哪知邢玉橋聽到狗叫聲情知不妙，早溜出屋外，躲到山裏去了。

幾天後，陶家村的人在村口池塘裏發現了陶獵戶的屍體。

二　洪仁達供出御林苑的秘密

蕭孚泗仔細查看，又叫起個投降過來的太平軍官員當面核實，確證綁送前來的人就是李秀成。他知道，老天王洪秀全已死，幼天王洪天貴福是個稚童，干王洪玕名義上總理全國政事，但資望淺，功勞小，不足以號令全國，目前太平天國眞正的第一號人物，就是眼前這個李秀成。眞個是福星高照、鴻運齊天，蕭孚泗飛馬進城，向曾國荃報告了這個特大的消息。

「眞的是僞忠酋？」曾國荃這幾天正爲沒有抓到太平天國最重要的領袖而氣沮，這個消息太使他興奮了。

「卑職已叫投降過來的長毛僞官員當面驗證，確爲僞忠王李秀成無疑。」蕭孚泗響亮地回答。

「那僞幼天王，僞干酋、僞章酋呢？」曾國荃迫不及待地追問，恨不得一網打盡。

「暫時都還沒有抓到，不過不要緊。」蕭孚泗信心十足地說，「這一兩天內一定有喜訊傳來，九帥你就放心等著吧！」

「蕭軍門，你趕快把僞忠酋帶上來，本帥要親自審訊他！」曾國荃大聲命令。

「是！」蕭孚泗轉身出門。

「慢點。」曾國荃摸著光禿禿的尖下巴，想了片刻說，「本帥是堂堂王師的三軍統帥，僞忠酋不過是山野草寇，今日做了本帥的階下囚，就這樣叫了來，本帥不是與他平等相見了嗎？蕭軍門，你下去趕緊造一個長三尺、寬三尺、高六尺的木籠子，將那僞忠酋五花大綁扔進木籠之中，再命四個兵士肩抬著他來大堂見我」

當士兵們抬著裝有李秀成在內的大木籠進來時，曾國荃已穿上二品文官朝服，板緊長臉，挺直腰板，端坐在大堂正中。木籠被輕輕放下，曾國荃放在桌案上的那兩隻瘦骨嶙峋的手已抖動起來，發出雞啄米般的「篤篤」響聲，兩只細長的眉毛緊緊連成一線，兩邊太陽穴上的青筋暴凸，嘴唇在抽搐著，見木籠中的李秀成坦然坐在裏面，猶如一個正在納涼的閒人，不由得更加氣憤。

「啪！」曾國荃猛地拍打案桌。用力太猛，自己都感到手心發麻，兩旁兵勇嚇得一齊把頭低下，木籠中的李秀成彷彿什麼也沒有聽到一樣，依然端坐著，臉上露出一絲淡淡的微笑。

「你就是偽忠酋李秀成！」堂上曾國荃嘶啞的吼聲近於顫慄。

「本王正是。」木籠裏李秀成的回答十分安祥。

曾國荃被李秀成的氣概所鎮懾，好一陣子問不出第二句話來。「偽幼天王到哪裏去了？」很久，曾國荃才又迸出一句話來。

「不知道。」李秀成心裏高興，這說明幼天王沒有被抓住。

「洪仁玕、林紹璋呢？」

李秀成又是一喜，干王、章王都沒有被抓！他仍然從容回答：「他們會始終在幼天王身邊的。」

「哈哈哈！」曾國荃盯著木籠許久，突然發出一陣大笑，「李秀成，你也有今天！」曾國荃放肆地笑著，聲音由得意到癲狂，由癲狂到黯淡，由黯淡到淒然，終於摻合著嚶嚶哭腔，使得滿堂官兵毛骨悚然，大熱天氣，如同站在寒風中，全身瑟瑟抖動。

「李秀成，你害得我好苦哇！」曾國荃大叫一聲，收起怪笑，兩眼射出凶光，猛地站了起來，兩手支在桌案上，唱道：「你逃出城時帶了多少人馬？」

傳聞本事了不得的曾老九竟是這樣一個色厲內荏之輩，李秀成著實鄙視，他閉上雙眼，不再搭理。

「你想逃到哪裏去？」

李秀成不答。

「你的弟弟李世賢現在哪裏？」

李秀成仍不回答。

「陳炳文、汪海洋、賴文光他們都到哪裏去？」

李秀成面無表情閉目端坐，對曾國荃的提問一概採取蔑視的態度，不予理睬。一個階下囚竟然如此傲慢無禮，使得曾國荃威風掃地。他腦羞成怒，終於完全拋開了二品大員的身分！順手從案桌上拿起一個平時裝釘文簿的鐵錐，快步走下堂來，直衝到木籠邊，對著李秀成的大腿使勁一戳。李秀成緊閉雙眼，全身靠在木柱上，臉上的肌肉不停地抽搐著，他强忍巨大的疼痛，一聲不吭。曾國荃將鐵錐用力拔出，一股鮮血泉水般噴出，從木籠裏流出來，李秀成斜起眼睛看著，嘴角微微歙動。曾國荃氣得又是一錐。這一錐沒有刺著，反倒因用力過猛，自己的額頭撞在柱子上，痛得他哇哇直叫：「來人呀！拿刀子割他的肉！」

兩個親兵過來，攙扶著曾國荃坐到椅子上，一個親兵拿了一把匕首上來。「割，給我一塊塊地割！」曾國荃坐下後，一手壓著頭，一邊大嚷。

親兵拿起匕首，走到木籠邊，將刀伸進木籠，對著李秀成左臂一劃，一塊肉掉了下來，鮮血湧出，膽小的幕僚掩面不敢看，膽大的側眼看時，只見李秀成依然坐著，巍然不動，心裏暗暗欽佩。

「再割！」曾國荃完全瘋了。親兵只得又將匕首舉起，在李秀成的左臂上又切下一塊肉來。這時李秀成左邊衣褲已完全被血浸濕，他不動也不作聲，如石雕鐵鑄般端坐著。坐在一旁的趙烈文實在看不下去了，站起來走到曾國荃身邊，輕聲說：「九帥，不要再割了，李秀成神志已麻木，再割幾塊也是枉然，萬一血流過多死了，今後不好交待。」

「死了就死了，有什麼不好交待的。」曾國荃冷冷地回答。

「九師，假如朝廷要獻俘呢？」

「李秀成不過草寇一個，朝廷犯不著為他舉辦獻俘大典。」曾國荃陰冷地望著桌面，突然神經質地抬起頭來，大聲發令：「給我割，一塊塊地割下去，割死拉倒！」

趙烈文知道曾國荃已喪失理智了。他當然能理解曾國荃此時的心情。爲破金陵，老九差不多把命都貼上了，但作爲受曾國藩之命前來輔佐的幕僚，他認爲有責任制止曾國荃的失態行爲。「九帥，就是朝廷不讓獻俘，李秀成畢竟是長毛中的要犯，抓住他，是九帥一樁很大的功勞。現在天氣炎熱，李秀成又衰弱不堪，若再割幾刀，李秀成立即就會死在堂上。今後萬一有個小人上書給朝廷，說九帥抓的是個假的，冒功請賞，九帥那時拿什麼來作證？」

趙烈文這幾句話顯然打動了曾國荃，他抬起黑瘦的右手，有氣無力地揮動一下，示意親兵下去。

「九帥。」趙烈文繼續說，「還有一個重要原因，不能讓李秀成現在就死去，故還要請九帥立即命人給他擦藥治傷，免生意外。」

「你說什麼？」曾國荃鼓起眼睛望著趙烈文。趙烈文轉過臉去，躲開他的令人生畏的眼光。「九帥，中堂大人還未來哩，他要親自來審訊李秀成。」一句話，彷彿一服清涼劑，使曾國荃驀地清醒了。是的，大哥還在安慶，說是這兩天就要到金陵來。假若李秀成今天死了，怎麼向大哥交代？糊塗！曾國荃暗自痛責。他站起來，對著公堂下的木籠子說：「李秀成，你犯下了彌天大罪，死有餘辜。本帥今日暫不凌遲你，再讓你苟活幾天？」

四個親兵走到木籠邊，一聲吆喝，將籠子抬到肩上，正要啓動時，李秀成望著曾國荃破口大罵：「曾老九，你這個比蛇蝎還毒比猪還蠢的傢伙，兩國交兵，各爲其主，敗軍之將，可殺而不可辱，這點小道理你都不懂，豈有資格審訊我！且勝敗兵家之常事，大江之南，我天國將士還有數十萬人，你不過偶爾獲勝而已，怎能在本王面前裝腔作勢！」

剛剛冷靜下來的曾國荃又被李秀成的這幾句話激惱了。他怒不可遏地從親兵手中搶過匕首：「老子今天非要宰了你不可！」說著就要衝過去，趙烈文一把抓住：「九帥，不要跟這等小丑計較！」轉臉吩咐，「還不快抬下去！」

曾國荃重新坐到椅子上，氣得臉色煞白。正在這時，劉連捷進來大聲稟報：「九帥大喜，洪酉的二哥洪仁達捉到了！」

「押上來！」曾國荃命令。與李秀成第一次面對面地較量，他自己心裏清楚是輸了，現在要通過審訊洪仁達把面子挽回來。

洪仁達被押上來了。這是一個五十多歲的人，身材肥胖，面皮黧黑，頭髮稀疏，眼小唇厚，一副猥瑣的樣子。洪仁達進得門來，不待曾國荃問話，便雙膝跪在大堂當中，口中喊道：「曾九爺饒命！」

曾國荃鄙夷地瞟了一眼，喝道：「報上名來！」

誰知洪仁達雖在金陵住了十多年，仍然聽不懂曾國荃的湘鄉官話，茫然呆望著曾國荃，不知他說些什麼。「報上名來！」曾國荃不耐煩地又吼了一句。洪仁達仍然傻子似地望著。「他莫不是個聾子？」曾國荃心想。

「九帥。」趙烈文心中已明白，湊過去說：「想必他聽不懂你的話。」曾國荃點點頭。趙烈文對親兵說：「把陳德風押來。」

松王陳德風昨天在城裏巷戰被俘，當即就向湘軍繳械投降了。陳德風被帶上來了，兩隻手被繩子綁著。

「陳德風，你稟告本帥，洪仁達是聾子，還是聽不懂本帥的話。」曾國荃問。

「稟告九帥，洪仁達不是聾子。他自幼在家種田，沒有出過官祿一步，平素只聽得懂花縣土話，其他什麼話都聽不懂。」陳德風彎腰回答。

「那你就把本帥的話用花縣土話再說一遍給他聽，要他務必從實招供。」

「是！」陳德風又一鞠躬。

經陳德風翻譯，洪仁達終於聽懂了：「小人名叫洪仁達。」

「你是洪秀全的什麼人?」

「小人是洪秀全的二哥。小人兄弟三人，大哥和我是一個娘所生，老三是另一個娘生的。」

「洪秀全封了你什麼官?」

「老三先封大哥爲安王，後改爲信王，封我爲福王，後改爲勇王。九爺，其實我和大哥一世種田，大字認不得一石，我們不曉得做王，只知吃好的穿好的，多討幾個老婆。」洪仁達在被抓的那一刻，就在盤算如何保住這條命。他把責任全部推到洪秀全身上，把自己裝扮成一個愚昧無知的鄉巴佬。大堂裏的人都覺得好笑，只是不敢笑出聲來。曾國荃想:這樣的人居然也當了十多年的王，眞他媽的混帳!

「洪仁達，本帥問你，洪秀全是哪天死的?」

「老三是四月十九日歸的天。自三月底以來，天京被九爺圍得緊，老三知道仗打不贏，便急病了。我勸他吃藥，他不吃，他說他的命是天父掌管的，吃藥沒有用。四月十九日那夜裏，城裏四處火光衝天，老三以爲城攻破了，便服毒自殺了。」

「洪秀全的屍體埋在哪裏?」

「埋在新天門外御林苑東邊山上那棵最大的桂花樹下。」

「你可要老實招供，不准胡扯！」

「是，是，小人不敢胡扯。老三歸天後，是我抹的屍換的衣，埋的地方也是小人和小人的大哥一起選定的。」

洪秀全雖未生擒，卻可確認已死無疑，這是曾國荃今天審訊洪仁達的收穫。這樣一個愚不可及的人，大概所知不多，曾國荃沒有心思再審下去，吩咐押走。洪仁達心裏急了，他想就此押下，說不定哪天就會被砍頭，還有一個救命方子未拿出來，再不說就遲了。

「九爺，小人還有一件事要稟告九爺！」洪仁達在堂下高喊。

「你還有什麼事？」

「九爺，這是一樁絕密的事，你答應我不殺頭，我就告訴你。」曾國荃心想，這傢伙是洪秀全的二哥，說不定眞知道些別人不知的事，便哄道：「你說吧，我不殺你。」

洪仁達很高興，說：「這事只能對九爺一人說，不能給別人知道。」

「你們都下去吧！」公堂裏除留下陳德風外，包括趙烈文在內，所有的人都走了。洪仁達湊到曾國荃身邊，悄悄地說：「御林苑左側有一個牡丹園，牡丹園正中有一塊簸箕大的空地，從這塊空地挖下去，有三個大酒罎子。這是我上個月見天京危急時，偷偷埋進去的，裏面裝了這十多年來老三賞賜我的珍寶。這批珍寶究竟值多少錢我也不知，只記得老三有次對我說，他賞給我的東西比別人都多，他說我的財產可以勝過前代一個叫石崇的人，又說我是天下最有錢的人。九爺，我現在願用這三壜珍寶來贖我的命。那三壜珍寶都給你，你放了我吧！」

曾國荃絕沒想到，審這個愚蠢的僞勇王倒審出一樁這樣的美事來，剛才審李秀成的煩惱早已飛到九天雲外，喜得心花怒放。

「好，本帥不殺你，但你絕對不能再對別人說起這事。倘若本帥挖不到那三壜珍寶，看不把你碎屍萬段！」

三　攻下金陵的捷報，給曾國藩帶來兩三分喜悅、七八分感傷

六月十八日半夜三更三點，曾國藩終於將堆積如山的文件批閱完畢。他走出房門，來到後院。但見星月滿天，萬籟俱寂，心裏頓時有一點寧靜之感。大前天接到九弟信，告金陵城外四處開挖地道，城破就在這幾天。他望著夜空，心裏說：「九弟，大哥不能和你一起攻城殺賊，爲你讀一篇文助戰吧！」他重新走進簽押房，拿出《資治通鑑》，翻出寫赤壁之戰的那一篇來。他希望九弟如同當年的周瑜火燒赤壁那樣，取得攻克金陵的勝利，日後也能焜耀史冊。曾國藩先是

輕輕地念著，慢慢地興致高漲，竟高聲吟唱起來。

「大人，剛才信使送來九爺的急信。」荊七捧著一封信走過來。

「快給我！」曾國藩心裏一跳，深夜送信來，這在過去是從來沒有的事。兵機瞬息萬變，不可預料，難道金陵出了意外？曾國藩的一顆心幾乎懸到喉嚨口。他一反平日剪信口的習慣，一把從荊七手裏搶過信套，用力撕著，手在微微抖動。信套紙很結實，一次沒撕開，他又撕了一次。信箋出來了，是沅甫的親筆：「十六日正午，我吉字大營轟開城牆，攻占金陵外城……」

「金陵城破了！金陵城破了！」曾國藩喃喃唸了兩遍，便覺一口痰湧上胸頭，眼前一黑，栽倒在地上。荊七不知出了什麼事，慌得趕急上前，雙手將曾國藩扶起，平放在竹床上，用冷水打濕毛巾，擦拭臉和手。荊七弄得大汗淋漓，摸摸曾國藩的手，卻冷冰冰、涼颼颼的。荊七害怕了。

「你到哪裏去？」荊七剛要出門，曾國藩醒過來了。

「大人，你老醒了。」荊七十分欣喜，忙走到竹床邊，「大人，剛才把我嚇死了，見你老不醒，我正要去叫大公子。」

「好啦，不要叫他了，我沒事。你也去睡吧，明天不要對任何人說起我剛才昏倒的事，聽到了嗎？」

荊七答應一聲，關好房門，到旁邊側房裏睡覺去了。曾國藩躺在竹床上，深為自己剛才的失態而羞恥。平日讀《晉書》，曾為謝安一句「小兒輩已破賊矣」，數度拍案叫絕。那是一場關係到國家存亡、謝氏家族興衰的重大戰爭，且事前並無把握，謝安居然在接到侄兒的捷報時，照樣下完棋，只徐徐說出這樣一句輕描淡寫的話來。這是何等的胸襟，何等的氣度啊！曾國藩也曾多次設想過，有一天接到九弟從金陵前線來的捷報時，也要像謝安一樣，毫不經意地告訴身邊的僚屬，可是剛才呢……幸好只有荊七一人在旁，連兒子也未看到，不然，必將作為笑柄廣為傳播，一直傳到子孫後代。

略微舒服點後，曾國藩再也不願躺在竹床上了，他起來披件衣服，坐在椅子上，望著跳躍的燈火，心馳神往，浮想聯翩。他想起在湘鄉縣城與羅澤南暢談辦練勇的那個夜晚，想起郭嵩燾、陳敷的預言，想起在母親靈柩旁焚摺辭父、墨絰出山時的誓詞，想起在長沙城受到鮑起豹、陶恩培等人的欺侮，想起船山公後裔贈送寶劍時的祝願，想起江西幾年的困苦，想起投水自殺的恥辱，想起重回荷葉塘守墓的沮喪，想起復出後的三河之敗，想起滿弟的病逝，想起自九弟圍金陵以來為之提心吊膽的日日夜夜，一時百感交集。曾國藩愈想愈不好受，最後禁不住潸然淚下。他感到奇怪，這樣一樁千盼萬盼的大喜事，眞的來到了，爲什麼給自己帶來的喜悅只有兩三分，傷感卻占了七八分呢？

第二天一大早，紀澤來到父親房裏請安。見父親如同往日一樣，端坐在書案前，臨摹劉石庵的《淸爱堂帖》。在紀澤看來，父親寫的字足可以自成一家，不必再學別人的字了。看著父親頭上滲出一層細細汗珠，一向對父親崇拜至極的曾紀澤，此時更增添一番敬意。

「父親大人安好！」紀澤重複每天早上的現話。

「起來多久了？」曾國藩問，頭沒抬，手仍在寫。

「有半個時辰了。」紀澤恭敬地回答。

「今天散步到了哪些地方？」曾國藩規定兒子早晨起床後要到戶外去散步，晚飯後也要走一千步。

「今天沒有走多遠，就在西門外小池塘邊轉了轉。」

「昨夜你九叔來了一封信。」曾國藩筆仍未停。

「九叔信上說了些什麼？仗打得順利嗎？」紀澤急切地問。

「金陵已被你九叔攻下了。」曾國藩邊說邊用力寫了一橫，臉色平靜得如同什麼事也沒發生一樣。

「九叔打下了金陵！」紀澤簡直不敢相信，隨即他就覺得這個語氣不對頭，對父親的話還能懷疑嗎？父親常常教導自己，爲人要誠敬，要勤奮，誠敬從不打誑語做起。勤奮從不晏起床做起。父親難道還會打誑語嗎？何況這樣大的事情！紀澤興奮萬分，高聲喊起來：「金陵打下了！」

「甲三！」曾國藩威嚴地斥責，「大喊大鬧，成何體統！」

「是！」紀澤意識到自己的不應該。父親常說舉止要厚重，怎麼又忘記了。

「你去告訴楊國棟、彭壽頤等人，我在這裏等他們。」

不到一頓飯的功夫，安慶全城都知道金陵已攻下了。兩江總督衙門張燈結綵，鞭炮連天，幕僚們彈冠相慶，喜氣融融。曾國藩的簽押房賀客絡繹不絕，道喜聲、頌揚聲洋洋盈耳。曾國藩始終以素日一貫的凝重、從容的態度接待，只是臉上增添了一絲淡淡的笑容。

過幾天，曾國荃又送來一封詳細的信，報告內城也已拿下，並附來一迭厚厚的保舉單。彭壽頤等人按照這封信的內容擬好了報捷摺。對奏稿的審閱，曾國藩歷來十分慎重，今天這份摺子非比尋常，他關起房門，謝絕一切客人，一字一句地仔細斟酌。

奏稿自然擬得很好。條理清晰，文句流暢，對自六月份以來各種攻城的準備，尤其是十六日那天各路人馬勇猛攻城以及進城後的劇烈搏鬥，都寫得具體紮實，且主次詳略都很得當，雖然比往日的奏摺要長些，但這樣一件大喜事，長些也是應該的。要說欠缺，那就是奏稿中迴避了一件大事，即偽幼主的下落如何。曾國荃信上說，偽幼主據傳已逃出城外，也有的說已自焚於宮中，但至今都未得到證實。彭壽頤等人對此如何措詞拿不定主意。這是一件大事。既已寫偽天王服毒而死，怎能不言及偽幼主呢？曾國藩想，偽幼主是個未滿十六歲的孩子，在如此兵慌馬亂中，能有什麼作為，死的可能性極大，即使逃出城也免不了一死。為了使勝利顯得更圓滿，曾國藩在中間添上一句：「城破後偽幼主積薪宮殿，舉火自焚。」想想覺得不妥，因為畢竟沒有確證。他又在前面加上「據城內各賊供稱」七個字，今後實在不是這回事，也好有一個轉圜。曾國藩將修改後的奏稿再從頭至尾讀一遍，覺得事情是敍述清楚了，但意猶未盡。古往今來，這樣的奏摺能有幾篇！當年的翰林院侍講學士，決心親自寫一段動人的文字接在後面，讓它與攻克金陵的巨大功勛相匹配，成為一篇傳播海內、流芳百世的名奏疏。

曾國藩背手在室內踱步，時時撫摸近來大為稀疏的長鬚，口裏喃喃念著，然後坐在桌前，凝神片刻，提起筆來，在奏稿後面補了一段：「臣等伏查洪逆倡亂粵西，於今十有五年，竊據金陵亦十二年，流毒海內，神人共憤。我朝武功之超越前古，屢次削平大難，焜耀史篇。然如嘉慶川楚之役，蹂躪僅及四省，淪陷不過十餘城。康熙三藩之役，蹂躪尚止十二省，淪陷亦只三百餘城。今粤匪之變，蹂躪竟及十六省，淪陷至六百餘城之多，而其中凶酋悍黨，如李開方守馮官屯、林啓容守九江、葉芸來守安慶，皆堅忍不屈。此次金陵城破，十萬餘賊無一降者，至聚衆自焚而不悔，實爲古今罕見之劇寇。」

將川楚之役、三藩之役拿來作比較，更突出了平定長毛的功勞之偉，曾國藩覺得這段話是必不可少的，但又恐有自誇之嫌，招來物議，於是乾脆再加一段：「然卒能次第蕩平，鏟除無惡，臣等深維其故，蓋由我文宗顯皇帝盛德宏謨，早裕勘亂之本。宮禁雖極儉嗇，而不惜巨餉以募戰士；名器雖極愼重，而不惜破格以獎有功；廟算雖極精密，而不惜屈己以從將帥之謀。皇太后、皇上守此三者，悉從舊章而加之。去邪彌果，求賢彌廣，用能誅除潛僞，蔚成中興之業。臣等忝竊兵符，遭逢際會，旣慟我文宗不及目睹獻俘告成之日，又念生靈塗炭爲時過久，惟當始終愼勉，掃蕩餘匪，以蘇孑黎之困，而分宵旰之憂。」

寫好後，曾國藩念了一遍，覺得這篇奏疏眞是個天衣無縫、完美無缺了，尤其對「宮禁雖極儉嗇」以下三個排比句甚爲滿意，心想，當今疆吏能寫出這幾句話來的怕不多。

奏稿改好了，還有一個會銜的問題，幕僚們不能作主。按道理說，由曾國藩領銜，曾國荃、彭玉麟、楊岳斌會銜最好。曾國荃功勞最大，應置會銜的前列；彭玉麟、楊岳斌攻下九洑洲，肅清江面，直接保證了陸路的進攻，厥功甚偉，也理應會銜。但曾國藩想得更深。自從咸豐二年出山以來，凡有大勝仗，捷報摺中他從未單獨領銜。塔齊布在時，他和塔一起領銜，並將塔排在前；塔死後，攻下安慶時，他和胡林翼一起領銜，又將胡推到前面。曾國藩這樣做，既向朝廷表示了功不獨占的器量，贏得朝野一致稱讚，又得到了塔、胡的肝膽相助。這次攻下金陵的大捷，他也援例不單獨領銜，順手牽來了湖廣總督官文，把官文置於第一，自己屈居第二。

報捷摺處理好後，又開始審閱保舉單。曾國荃開來的保舉單多達三十二頁，近二千人。曾國藩明知其中有許多益民一類的人，並預料到保舉如此之濫，日後必然招致口舌，但現在也只得照此上報。由保舉單他想到九弟如今不知怎樣地歡喜若狂。越是大功告成，越要謙虛謹慎，而這點，自小不受約束的九弟恰恰不會想到。應該立即到金陵去一趟。曾國藩想。突然，窗外傳來一陣刺耳的鳥叫聲。他推門一看，原來是一羣喜鵲繞著院中涼亭在驚慌失措地亂飛亂叫。涼亭年久失修，將要倒塌，府裏管事吩咐拆掉重建。現在幾個人正在搬拆，用竹桿搗毀築在亭頂上的喜鵲窩。眼看著窩中的枯枝茅草紛紛落地，一個個鳥蛋摔得稀巴爛，喜鵲們圍著涼亭發出悲哀驚恐的尖叫。大喜日子裏，總督衙門出現一幅這樣的慘景不是好事，曾國藩心中憂然。他把荊七叫過來說：「去告訴他們，涼亭不要拆了，鳥窩也不要搗毀，打碎的蛋掃乾淨，莫讓這些喜鵲看了傷心。」

四　陳德風在李秀成面前長跪請安，使曾國藩打消了招降的念頭

安慶內軍械所製造的「黃鵠」號小火輪，順水在長江上飛快地行駛，一眨眼功夫就到了張楓嶺。曾國藩坐在艙裏，對徐壽說：「到底火輪走得快，若是坐木船，這會子鯽魚灣都到不了。」

徐壽興奮地說：「若一路順利的話，掌燈時分就可以到下關。」

「黃鵠號比洋人的輪船慢多少？」

「大概只有洋人船速度的一半。」徐壽回答。「製船造炮這方面，洋人的確比我們行。」

曾國藩默默地看著倒流的江水，沒有做聲，徐壽也就不再說下去了。船過蕪湖，正是正午時分，船艙裏熱得像蒸籠，二人衣褲都濕透了，不得已換了衣褲後改乘民船。曾國藩說：「黃鵠號好是好，就是太熱不通氣，不可久坐，還要改一改。」

徐壽說：「中堂說的是。我們正在造一隻大輪船，圖紙畫好後再請中堂審示。」

「好。」曾國藩說，「到時我先看通風不通風。若不通風，我就再也不坐你的船了。」

說完，二人都笑了起來。民船坐起來雖然愜意，但太慢了，當晚停宿採石磯。第二天天未亮便開船，趕在中午前到了金陵。早有人報知曾國荃。曾國藩一出船艙，便在下關碼頭上看到吉字大營十名高級將領已佇立在烈日之下。曾國藩快步登上碼頭，見站在最前面的九弟黑得好比終年勞作的老農，瘦得猶如臥床多年的病人，不禁心頭一酸，三步併作兩步來到九弟面前：「你受苦了！」他緊緊抱住弟弟，只這四個字，便再也說不出下文了。兄弟久久擁抱在一起。見弟弟眼眶漸漸紅了，曾國藩怕他失態，忙鬆開手，走到李臣典、蕭孚泗、劉連捷等人面前，逐個道喜祝賀。

到了臨時由原侍王府改作的行轅，進入內室，曾國藩才細細地向九弟詢問一切。又叫弟弟脫掉上衣，一一查看背上和胸前的傷疤，輕輕地撫摸著。每摸一處傷疤，他都不厭其煩地問弟弟，是什麼時候受的傷，在哪個地方傷的，又是什麼時候好的，好了以後有不有影響，再發過沒有。一句句，一聲聲，直問得曾國荃淚水鼓鼓地，先是悄悄地流，最後終於忍不住嚎啕大哭起來。

「哭吧！哭吧！這裏沒有外人，大哥知道你吃盡了苦，你對著大哥把這兩三年來所受的委屈、痛苦、勞累，統統都哭出來。」曾國藩邊說邊拍打著弟弟的肩膀。時間彷彿倒退了三十年，荷葉塘老家，大哥在安慰受了委屈的小弟弟。

過了好一陣，曾國藩才笑著說：「好了，哭夠了吧！如此蓋世功勛落在別人的頭上，嘴都笑歪了，身子都飄起來了，哪有我們這樣兄弟相對而哭的。」

一句話，說得曾國荃止住了眼淚。外面已擺好了豐盛的接風酒，李臣典、蕭孚泗、劉連捷、彭毓橘等人都來作陪。席上杯盞相碰，笑語喧天。曾國藩對李臣典等人說：「想想當初給我當親兵是如何的寒酸，哪有這樣神氣的時候，還是跟著九帥好哇！」

說得大家都哄堂大笑。曾國荃說：「這次破金陵，他們都立了大功，這都是大哥當年辛勤栽培的結果。」

「這也是天數。」曾國藩換上素日的凝重神色，「當年他們在我身邊，也沒有想到會有今天這樣大的功勞。自古以來，凡辦大事，半由人力，半由天命，諸位都要從這方面去想，日後才好和上下左右相處。」大家都胡亂點頭，並沒有體會到這句話的深遠用心。

吃過飯後，曾國藩又在九弟等人陪同下，出城查看地道哨壘，又到信字營、振字營、備字營、剛字營、節字營駐紮之地拜訪該營營哨官，向他們祝賀道乏，營哨官們都很感激。回到原侍王府，天已經黑了，吃罷晚飯，曾國荃說：「大哥，今日太累了，早點洗了澡休息吧！」

「你們辛苦了兩三年，我這算什麼！今夜還有件大事要辦。」

「什麼大事，非要今夜辦不可？」

「審訊李秀成！」

「大哥，明天到大堂上去審吧，我陪大哥審。」

「不坐公堂，就在這個小房子裏審訊。」

「那不行。」

「爲什麼不行？」曾國藩覺得奇怪。

「籠子太大，進不來。」

「什麼籠子？」曾國藩驚問。

「李秀成裝在大籠子裏。」

「哈哈哈！」曾國藩大笑起來，「李秀成又不是老虎，你用籠子裝他幹什麼？」說得曾國荃頗有點不好意思。「你是想用我當年在長江辦匪盜的法子嗎？眞是有其兄必有其弟！」曾國藩快活起來，「放他出籠子吧，叫個人押來就行了。」

一會兒，李秀成被五花大綁地押了進來。自咸豐八年復出以來，與此人整整周旋了六年之久，幾乎天天在文件中看到他的名字，聽部屬們談論他。此人究竟是個什麼樣的人呢？曾國藩今夜要仔細地看看。站在面前的這個長毛大頭領屬於中等偏矮的個子，單單瘦瘦的，面孔顯得憔悴發白，額頭寬廣，眉眼細長，好似兩道平行的黑線布在臉上，鼻直嘴正，輪廓分明，儘管手脚都已綁得緊緊的，但隱約可見上身在輕微地抖動，看那神色，又不是害怕得發抖的樣子。一向喜歡以相度人的曾國藩很難理解，一個長得這樣單薄柔弱，尤其是那張嘴唇，竟纖巧得像女人一樣的長毛，何以有如此堅忍卓絕的毅力、拔山吞海的氣魄？

不管怎樣，他畢竟是個人傑！一股愛才惜才之情悄悄地湧上心頭。「給他鬆綁！」曾國藩吩咐。李秀成頗感意外。繩子解掉後，他將手脚隨意動了幾下，似有一種重新獲得自由似的舒服。就在這一瞬間，他抬頭把這個不知殺了多少太平軍兄弟的曾剃頭好好地看了一眼。

「李秀成，本督問你幾件事，你都要從實招供，不得胡說。」曾國藩話雖說得嚴厲，但語氣和緩，李秀成不感到有壓力。心想，他既然以禮待我，我也以禮待他，於是答道：「可以。」

「我問你，咸豐四年守田家鎮的燕王秦日綱，後來在船上搜到你們的許多文件，稱燕王孫日昌，秦日綱和孫日昌是一人還是兩人？」

李秀成注意到曾國藩在稱燕王時，沒有像曾國荃那樣有意改作「燕酉」，也沒有在前面加上一個「僞」字，氣氛不像是在審訊，倒像是在打聽舊事。他爽快地回答：「孫日昌即秦日綱，是一人，當時封燕王。」

「林紹璋在湘潭被我軍十戰十敗，此人並無本領，爲何封王？」曾國藩仍是詢問的口氣。

「林紹璋打仗雖無大本領，但他十分能吃苦，有忠心，故天王封他爲章王。」李秀成的回答不亢不卑。

「曾天養與林紹璋同到湖南，死於岳州，那人是一把好手，資格又深，何以反比林紹璋權小？」最初與湘軍打交道的幾個人，曾國藩對他們的印象格外深刻。

「曾天養與林紹璋職位相當，曾天養不識字，年歲大，爲人老實，林紹璋聰明，樣樣曉得，又勤勞，故其權較重。」盡管曾天養戰死時李秀成還只是一個低級軍官，但起義之初那些火紅的歲月，是他一生永遠不會忘記的，當時軍中高級將領是大家崇拜的偶像，常常談論，故李秀成很了解。

「石祥禎以後爲何不見提起，此人還在嗎？」略停一會，曾國藩又問，頗有點聊家常的味道。李秀成覺得與幾天前的那次審訊，簡直有天壤之別。

「石祥禎後來隨翼王西征去了，據說去年與翼王一道被害。」李秀成又鬆動一下手脚，曾國藩看到他的兩條腿在不斷地交換抖動。

「我再問你，林鳳祥、李開芳、林啓容死後都封王，羅大綱、周國虞、葉芸來也爲你們出了大力，爲何又沒有封王呢？」

這些話問到李秀成的心坎上去了。在這點上，他與洪秀全有重大分歧，也是他最不滿意洪秀全之處，尤其是天京淪陷前的濫封瞎封，簡直令他憤怒。但在敵人面前，不能指責天王。他想了一下說：「這些事很亂，無可說處。」

問過這些多年來在腦子裏記憶甚深的人之後，曾國藩不再問往事了。「李秀成，本督問你，金陵克復之前，城裏有多少人，多少長毛？」

「闔城軍民不過三萬來人，我太平軍兄弟只有一萬餘人，而大部分已病餓倒下，能守城者，只有三四千而已。」作爲天京城破前夕的最高統帥，李秀成對當時的兵力瞭如指掌。

曾國藩聽了卻很不自在，他用眼角瞄了一下坐在身旁的九弟，只見曾國荃神色更難看。他的報喜信上說，城破前太平軍有十多萬人，全部殺斃，秦淮河屍首如麻。曾國藩又將這幾句話上報朝廷。如此說來，九弟欺騙了自己，自己又欺騙了朝廷！

「李秀成，你胡說八道！滿城都是長毛，爲何只有一萬餘人？」曾國荃憤怒地對著李秀成吼道。

「這些軍隊都由本王指揮，究竟有多少人，本王豈有不知之理！」對於蠻橫不講理的曾國荃，李秀成毫不相讓，儼然以王爺之尊在教訓部屬。曾國荃討了個沒趣。

曾國藩問的這些事，李秀成基本上都作了令他滿意的回答，這使曾國藩想到李秀成是可以爭取的。沅甫說李秀成頑梗不化，顯然是因爲他的凶暴態度所致。像李秀成這種人，嚴刑烤打，甚至以死威脅都不可能使之屈服，關鍵在於設法打動他的心。目前金陵雖已攻下，但長毛在江西、浙江、福建一帶還有一二十萬人馬，爲幼主並未捉住，很可能沒有自焚而是逃出去了，倘若這些人聯合起來輔佐幼主，繼續與朝廷對抗，那仍是很可怕的事。如利用李秀成的地位和影響，使金陵城外的長毛放下武器，投降朝廷。對！從攻心入手。

「李秀成，本督聽說洪秀全雖封你爲忠王，但骨子裏並不認爲你忠於他，時刻提防你，既然如此，你爲何還要拚死爲他賣命呢？」

曾國藩的這個提問使李秀成驚奇：曾妖頭爲何了解得這樣清楚！久聞此人遠勝清妖其他文

武官員，果然名不虛傳。李秀成想了想說：「我主有大過於人之處，非我輩所能及。他封我為王，有大恩大德於我，雖對我有所懷疑，但我還是應該忠於他。我這是愚忠。」

曾國藩聽了滿意。暗思此人竟然懂得愚忠二字，還算得上一個有情有義的人。他忠於洪秀全，洪秀全死後，他又忠於其子，假若洪的兒子也死了，他豈不沒有忠於的對象了。

「李秀成，你陷於賊中十多年，身為賊首，罪惡極大，但剛才如你所說，你是出於對洪秀全的一片愚忠，本督可以理解你的心情。現在本督要鄭重告訴你，洪秀全的兒子洪福瑱——」

「幼天王不叫洪福瑱。」李秀成打斷曾國藩的話。

「不叫洪福瑱，叫什麼？」曾國藩吃了一驚，暗思：以往向朝廷上報的所有奏摺都稱偽幼主為洪福瑱，難道把他的名字都弄錯了。

「幼天王小名叫洪天貴，前兩年老天王給他加個福字，從那以後，幼天王的名字就叫洪天貴福。老天王升天後，幼天王登基，玉璽上的名字下橫刻眞主二字，致使外間誤傳為洪福瑱。」

「看來眞的錯了。」曾國藩想，繼續說下去：「本督鄭重告訴你，你的幼主已死於亂軍之中，現已傳首京師。」

「幼主已死了？！」李秀成驚奇了一下，很快也就平靜了。這幾天他一直惦記的便是幼天王，對曾國藩說的這個消息，他想想也不應該感到意外。幼天王才十六歲，自幼長在深宮之中，被幾十個王娘當作太陽月亮似地捧著，不會騎馬，更不會舞刀射箭，在凶惡的追兵威逼下，被殺、自殺都是有可能的。不過，他心裏仍然悲傷，深責自己辜負了天王的托孤重誼。

「李秀成，你的幼主以及他的幾個弟弟都已死，洪秀全一家已絕了，你還忠於誰呢？你打算愚忠洪仁玕嗎？」曾國藩的態度顯得更加溫和，李秀成低頭沒有回答。是的，老天王死了，幼天王也死了，忠於哪個呢？今後若是擁立新主，很有可能是洪仁玕，但李秀成卻不願意忠於他。見李秀成沈默不語，曾國藩已看出了他的心思，便更和藹地說：「李秀成，本督既恨你作惡多端，又愛你是個人才，本督一向愛才重才，倘若本督向朝廷申報，饒你不死，你肯歸順朝廷嗎？」

李秀成一聽這話大出意外，一時不知如何回答是好。坐在一旁久不開口的曾國荃也沒有想到大哥會說出這樣一句話來。他對曾國藩說：「大哥，李秀成殺了我湘軍成千上萬弟兄，饒不了他！不必再跟他囉嗦了，殺了乾脆！」

「九弟。」曾國藩微笑著對弟弟說，「人才難得呀！洪秀全前前後後封了二千多個王，我看眞正能打仗的，前期只有一個石達開，後期只有他李秀成了。」

李秀成聽後，無端地冒出一種欣慰之感。李秀成正是這樣看待太平天國的衆多將領的，他服的只有一個石達開。但天國朝野卻普遍認爲最會打仗的，第一要數東王楊秀清，第二才數翼王石達開，第三數英王陳玉成，李秀成只能坐第四把交椅。今天李秀成終於發覺，這個與自己死戰多年的曾妖頭竟是知音！既然幼天王已死，自己對老天王的忠誠也就到此結束了。天京的陷落，將天國的元氣已打散，幼天王這一死，意味著羣龍無首，洪仁玕不足以號令全軍，其他在外的將領如侍王李世賢、昭王黃文英、來王陸順德、戴王黃呈忠、沛王譚星、聽王陳炳文、康王汪海洋、寧王張學明、奬王陶會金、凜王劉肇鈞、利王朱興隆這些人，在目前這樣軍事險惡、人心已散的局面下，沒有一個人可以領袖羣倫。從金田村燒起的這把火，燒到今天，已成餘燼了。既然曾國藩如此看得起，且將這身本領再酬知己又如何？剛剛這樣一想，李秀成又覺得這念頭太可恥了。難道今後率領清妖去打與自己一起浴血奮鬥、患難與共的弟兄？難道去做一個被子孫後代罵作豬狗不如的叛徒？不！死也不能做這種人。

憑著幾十年的閱人經驗，尤其是審訊所抓獲的太平軍將領的經驗，曾國藩對眼前一言不發的李秀成的心理活動，已猜著了七八分。

「李秀成。」曾國藩完全換成一種平等相待的口吻，「本督知你不願爲朝廷出力，怕遭過去伙伴的唾罵，本督不爲難你。倘若你能爲本督勸告金陵以外的大小長毛放下刀槍，不再抗拒，本督將可以送你回廣西老家，並傳諭將士不殺你的老母妻兒，讓你一家團聚，長作朝廷良民。」

李秀成陷入了深深的沉思：眼下太平軍被打得七零八落，官兵殺紅了眼睛，繼續打下去，散落在外的二十餘萬弟兄必然會被官兵斬盡殺絕。若是曾國藩眞的做到不殺放下刀槍的弟兄，豈不可以挽救他們的性命？自己縱然被弟兄們誤解，被後世錯責，也是值得的。何況這顆仁愛之心總會有人理解！而且還可以換來老母幼子的性命。

李秀成對母親有深厚的感情。他出生在廣西滕縣五十七都大黎里一個貧寒的農家，兄弟二人，父親體弱多病，家裏全靠母親一人支撐。爲了讓李秀成有點出息，母親跪在娘家堂兄面前，爲兒子求情，請堂兄教兒子識幾個字。李秀成斷斷續續在堂舅那裏讀了三年書，母親也就爲他家做了三年女佣。李秀成永生不能忘記母親的這個恩德。以後他參加太平軍，升了官，將母親從滕縣接出，總是把老人安置在最保險的地方，住最好的房子，吃最好的東西，對母親畢恭畢敬，百依百順。李秀成直到近四十歲尚無親生兒子，大前年，何王娘爲他生了一個兒子，他把這個親兒子當作心肝寶貝。這些天來，他除開想念幼天王外，就是牽掛著老母幼子。如果曾國藩眞的講信用，今後帶著老母幼子，回到滕縣老家，做一個自耕自食的普通百姓，今生今世再也不過問一家之外的事。既挽救了二十餘萬弟兄的性命，又不爲清妖朝廷做一點事，這不能算作叛徒吧！李秀成覺得自己的這個決定是對的，是無愧於天王，無愧於太平軍弟兄的。李秀成心裏坦然了，踏實了，精神充足了。他恢復了往日的神態，抬起頭來，平靜地說：「老中堂，放下刀槍的弟兄，你保證不殺他們嗎？」

「老中堂」三個字，使曾國藩暗自驚喜，這不分明表示他已願意投降了嗎？

「只要放下刀槍，本督保證不殺！」曾國藩趕忙回答。

「兩廣過來的老兄弟也不殺嗎？」李秀成追問。在往日的戰爭中，湘軍也曾宣傳過不殺降人，但對兩廣人例外，這使兩廣老兄弟更加鐵了心，與湘軍打到底。

「兩廣老長毛也不殺。」曾國藩立刻答覆。

「你能保證找到我的老母幼子嗎？」李秀成又問。

「本督下令所有追殺的官軍，務必保護好你的母親和兒子，你可放心。」

曾國藩的答覆使李秀成很滿意：「如此，李秀成願意歸順朝廷。」

「好！」曾國藩十分得意，站起來走到李秀成身邊，看到了被曾國荃割去了兩塊肉的左臂在化膿腐爛，便對曾國荃說：「叫一個醫生來，給他的傷口上藥包紮，每天茶飯要按時供應。」

曾國荃點點頭，對大哥今夜的審訊很是佩服。

「謝老中堂厚恩。」李秀成完全換成了一個降人的口氣。他剛要轉身離開，門外忽然走過兩隻大白燈籠，燈籠後面是一個雙手被捆的漢子，漢子後面是兩個執刀的士兵，再後面是一個穿著淺白長湖綢袍的師爺。

「惠甫，你上哪裏去？」曾國藩叫住了長袍師爺。

「中堂大人、九帥。」趙烈文邁進門檻，行了一禮，「剛才和龐師爺一起提審了長毛頭子僞松王陳德風。」

「就是那個早想投誠的陳德風？」曾國藩問。

「正是。」

「叫他進來！」

陳德風被押了進來，一眼看見了李秀成站在那裏，趕緊走前兩步，在李秀成面前長跪請安，口中叫道：「忠王殿下……」說著淚如雨下，磕頭不止。李秀成抱著陳德風的雙肩，神情黯然。兩雙眼睛對視著，似有萬千之言而無從說起。曾國藩在一旁看了，心頭一跳，暗想：李秀成已是我的階下之囚，陳德風居然敢於當著我的面，在刀斧監視之下向李秀成行大禮，這李秀成在長毛中的威望可想而知。不能怪沅甫把他裝在籠子裏，他可眞是一隻猛虎哇！假若再將此人釋放回廣西，豈不眞的放虎歸山？到時只要他振臂一呼，那些暫時放下刀槍的舊部，就會再聚集在他的旗幟下！不能放他，此人非殺不可！他那雙榛色眸子裏又閃出了凶狠凌厲的光芒。

「李秀成、陳德風，此是何等地方，豈容得你們放肆！」曾國藩喝道。他本想審問陳德風幾句，現在亦無心思了，遂命令押走。陳德風走到門口，又回過頭來，帶著哭腔對李秀成說：「殿下多多保重，恕小官不能侍候了。」

「你走吧，自己多保重。」李秀成無可奈何地揮了揮手。

「李秀成！」曾國藩的口氣分明嚴厲許多了，「從明天起，你要老老實實地寫一份悔過書，本督將視你的悔改態度申報朝廷，你要明白此中的關係！」

五　洪秀全屍首被挖出時，金陵城突起狂風暴雨

第二天，囚禁在木籠裏的李秀成的待遇得到改善。手腳不再捆了，左臂也上了藥，飯可以吃飽了，由於天氣炎熱，還特爲給他擺了一個盛滿涼水的瓦罐和一只泥碗。另外，木籠裏還添了幾樣東西：一條小凳，一張小几，几上擺著筆墨紙硯。李秀成坐在凳子上，一邊慢慢磨墨，一邊對著硯台凝思。

昨夜回到木籠裏，李秀成又深深地思考了大半夜。鑒於幾條基本認識，他越來越覺得自己的態度是對的：一是幼天王凶多吉少，很可能眞的死了；一是太平天國元氣已喪盡，包括自己在內，沒有一人能重振當年雄風；一是勸弟兄們放下武器，以免無謂的犧牲，不是叛變。識時務者爲俊傑，自己能看清眼前的時務，仍不失爲俊傑。不過，李秀成也不輕易相信曾國藩。這個詭計多端、心毒手辣的老妖頭是什麼背信棄義的事都可以做得出來的。昨夜，當陳德風抱著他流淚的時候，李秀成偷眼看了一下曾國藩，只見他面孔陰冷，眼中流露出一股殺氣。這更使得李秀成不敢相信曾國藩了，看來自己的性命不一定能保得住。

對於死，李秀成不害怕。從參加太平軍那天起，他就抱定了隨時爲天國獻身的決心，何況天國已成就了這樣一番建都立國的偉業，自己身居如此崇隆的地位。此生已足，死有何惜！太平軍中讀書識字的人猶如鳳毛麟角，就是在朝中掌大權的人，將能自己的思想用文字準確表達出來的也不多。過去忙於打仗，李秀成沒有想起要寫回憶錄的事，天王也不重視這事。現在天王已死，與天王一同起義的人大半凋零，天國也將徹底覆沒，這樣一場波瀾壯闊，震古鑠古，歷時十四年，波及十六省的偉大革命運動，難道就讓它無聲無息地消失了嗎？作爲一個最早參加金田起義的老弟兄，作爲天國後期的主要領袖，時至今日，李秀成認爲將這十幾年來親歷親見親聞的大事記下來，傳給子孫後代，已是自己不可推卸的責任了。很可能這就是生命的盡頭了，他決定利用這個難得的機會，寫成一份詳細的自述，以對天王負責，對天國負責，對後人負責的態度，將往事眞實地、不帶任何成見地記錄下來。他以一貫的過人毅力，强忍籠中的酷熱，强忍左臂化膿腐爛的劇痛，强忍身爲囚犯的恥辱，强忍自身一切苦痛，迫使腦子冷靜下來。眼前彷彿又燃起連天烽火，耳畔又響起動地鼙鼓，千萬匹戰馬在奔馳，無數面旗幟在飄舞，那些刻骨銘心、永生不忘的往事，一件件、一樁樁又浮上了心頭。他文思泉湧，筆走龍蛇……

幾天來，曾國藩被弄得頭暈腦脹。每天一早，曾國荃就把大哥拉出去，到城內城外遍訪各營。所到之處，都令曾國藩憂慮重重。但見這些勝利者們一個個都像瘋子一樣，酒氣沖天，穢語滿口，打著赤膊，有的甚至連褲裙都不穿，三個五個在一起賭錢打牌，每人屁股上都吊一個沉甸甸的錢袋。有一個營爲一個女人，幾十個湘勇竟然火拚起來。沿江邊密密麻麻地排列著幾百號小民船，別人告訴曾國藩，這些小民船每隻上都有一個年輕的女人，一到傍晚，湘軍官勇就像蒼蠅逐臭一樣地往船上鑽。曾國藩聽了胸堵氣悶。今天在回來的路上經過李臣典的營房，曾國藩順便去看看。門一推開，只見李臣典赤身裸體睡在床上，房子裏有七八個女人，都光著上身，床上還睡著一個，通體上下，一絲不掛。曾國藩本想大罵李臣典一頓，想起康福已死，他是第一個衝進金陵的大功臣，便悄悄退出門去。

康福死於金龍殿前，這事是李臣典告訴曾國藩的。但奇怪的是，打掃戰場時，卻不見康福的屍體，而從那以後，大家再也見不到康福了。曾國藩相信康福已死。他想起康福跟隨自己十三年來，忠心耿耿，屢立奇功，又多次捨命相救，卻沒有得到朝廷的一官半職，心裏覺得很愧疚。他和九弟商量，康福雖死，但作爲第一個衝進城的人，還是應該爲他請第一功。曾國荃不同意，說人都死了，不如賞活人作用更大。他看出弟弟的心思，也就不再爭了。心裏決定：今後要在沅江上爲康福建個祠堂，親去憑吊，再做塊「義士康福」的匾掛在祠堂上；過幾年待他兒子大了，要爲之尋一個好師傅，悉心教育成才。以此來告慰康福的在天之靈。

金陵城內，到處是殘磚碎瓦、餘火未盡。天王宮的大火仍未熄滅，今天下午西北角好像又燒得旺盛起來了，每天都有成百上千的湘軍在天王宮廢墟上翻來刨去，也有人的確從中挖出了金銀珠寶，但大部分人都沒有尋到什麼値錢的東西。十五六歲以上、五十多歲以下的女人已被搶盡。城裏沒有了，這幾天都跑到萬山、青龍山等地去搜捕，弄得人心惶惶，避湘軍勝過避匪盜。所有這一切，令曾國藩焦慮萬分。他擔心金陵城裏再這樣胡鬧下去，一定會禍起蕭牆。但打金陵的第一號功臣曾國荃卻滿不在乎，他成天泡在恭維聲和杯盞聲中。

「九弟，還有一件大事沒辦。」
「什麼事？」曾國荃望著大哥兩眼通紅。
「洪仁達招供洪秀全屍首埋在御林苑裏，還沒有驗看哩！」
「這還要驗看嗎？」曾國荃對此很疑惑，「我審訊了不少長毛頭領，都說僞天王在兩個多月前就死了。假若沒死，哪會有幼天王？」
「我也相信洪酉一定是死了，但人死要驗屍，這是常識。日後有一天朝廷問起，說驗屍了嗎？將作何回答？還有，」曾國藩嚴肅地對弟弟說：「長毛是否會耍金蟬脫殼計呢？假裝死了，實際偷偷地出了城。這種可能性雖不大，但沒驗屍，萬一今後有人硬要這樣說，怎麼辦？」說到這裏，曾國藩有意停了一下，輕輕地拍著弟弟的肩膀，意味深長地說：「老九，打下金陵，功勞蓋世，稱讚的不少，眼紅的也不少啊！」
曾國荃似有所悟：「過些日子有空，我去驗一下。」
「還能過些日子嗎？」曾國藩說，「現在天王宮廢墟上那麼多人在撿寶貝，你想過沒有，他們很有可能是想挖洪酉的坟墓，企望從他身上獲取奇珍異寶。眞的讓他們挖到時，你還驗什麼屍呢？」

「那現在就去!」曾國荃說走就要走。

「慢點。」曾國藩扯住弟弟,「明天去。今要你先叫彭毓橘帶一千人將天王宮外面包圍起來,把廢墟上的人統統趕出去,然後再分頭派人去請雪琴、厚庵等人前來,大家一道去驗看。戈登早兩天到了秣稜關,去把他請來。他是洋人,說話別人相信。另外,再貼一道告示出去,各營必須整肅軍紀,不准再酗酒、賭博、鬥毆、搶女人!」

第二天午後,洪仁達被押到了天王宮。先前雄偉壯麗的天王宮,而今已變成一片瓦礫場,洪仁達左找右找,好不容易才找到御林苑。它已被破壞得面目全非,桂花樹也不知到哪裏去了。洪仁達沮喪地站著,不能指出洪秀全的葬地,口裏喃喃念道:「找到黃三妹就好了,她找得到。」

「黃三妹是誰?」曾國藩問洪仁達。

「黃三妹是老三的女官,聰明能幹記性好,那天夜裏她也在場。」洪仁達然木頭似地站著,眼睛茫茫然四處張望。

「沅甫,你知道僞天王宮裏的宮女都到哪裏去了嗎?」曾國藩問弟弟。

「僞天王宮的宮女投井、上吊的有好幾百個,據說是有個叫黃三妹的,正要上吊,被士兵們抓住了，後被李祥雲要了去。」

「快去叫李臣典把黃三妹送來。」曾國藩皺著眉頭說。

一會兒功夫，黃三妹用快馬馱來了。是一個三十歲左右的女子，姿色極普通，她一句話也沒說，很快就找到了桂花樹原址。曾國荃命令士兵們往下挖。這時，天王宮上空突然布滿烏雲，天色開始晦暗起來。

挖了五六尺後，出現了一個雕花深黑色長大木櫃，士兵們用繩子把這個大木櫃吊了上來。木櫃釘得很嚴實，幾個人費了很大的勁力才把木櫃撬開，果然見櫃子裏躺著一具屍體，從頭到脚用明黃緞子包裹著。兵士們把它從櫃子裏扯出來，打開外面的黃緞子，又見一層紅緞子，再打開紅緞子，露出一身白緞子，將白緞子打開，裏面終於露出一個人來。黃三妹突然瘋了似地衝到屍首面前，跪下喊道：「天王陛下，你帶我一起升天吧！」喊完，大聲哭起來。

洪仁達站在一旁哭喪著臉說：「老三啊，我們眞苦呀！」

曾國藩走近一步仔細查看，只見洪秀全身上穿了一件綉著紅日海水飛龍黃緞袍，脚穿白色烏緞長靴，頭上包的紗布已散了，露出一個禿頭，雙目微閉，面皮幹瘦，下巴上留著稀疏的鬍鬚，全是白的，看那樣子總在六十歲以上。曾國藩高聲對大家說：「諸位都看清楚了，這就是擾亂我大清江山、神人共憤的長毛僞天王洪秀全。」彭玉麟、楊岳斌和其他營官都走近看了一眼。曾國藩又特地對戈登說：「看清楚了吧，這就是賊首洪秀全。」

「他是個老頭子。」戈登微笑著說。

「彭毓橋！」曾國荃高喊，「你帶幾個兵士把洪酉屍體扛到江邊，澆上油燒掉！」

曾國荃話音剛落，隨著一道閃電劃過，頭頂上忽然響起一聲炸雷，彷彿落下一顆重型開花炮彈。緊接著又是一聲，一連響了五聲炸雷。圍在洪秀全屍體邊的湘軍將領們莫不驚恐萬狀。曾國藩臉色慘白，他覺得這幾個炸雷是衝著他打的。

黃三妹對天大叫：「蒼天呀，你有眼睛啊，你有眼睛啊，多打幾個炸雷，炸死這些畜牲吧！」

「你這個賊婆娘！」曾國荃氣得臉色發烏，刷地抽出刀來，猛地向黃三妹刺去。黃三妹倒在洪秀全的屍體上，熱血噴泉般湧出，將白緞袍染得鮮紅。洪仁達目睹這一慘像，嚇得全身抖個不停。

烏雲愈積愈密，天完全黑下來了。「大哥，馬上有大雨下，我們趕快走！」曾國荃拉著曾國藩剛走出天王宮，豆大的雨點便直向臉上打來，轉眼間金陵城大風驟起，大雨滂沱，閃電雷鳴，天昏地暗，剛才還是暑氣蒸人，一下子陰冷了。被雨淋濕的湘軍將領們，個個身上起了鷄皮疙瘩。躲在小屋檐下的曾國藩，面對著天氣的突變，心中驚懼不已。他不明白，爲什麼對這個造反賊首的掘墓焚屍，會招致天心如此震怒！

六　寧肯冒天下之大不韙，也決不能授人以口實

這些天來，李秀成以每天約七千字的速度在木籠裏書寫自述。每到傍晚，便有個兵士將他當天寫好的紙全部拿去。第二天一早，便又拿幾張同樣的紙來。這些紙都是一色的黃竹紙，約五寸寬、八寸長，分成三十二行，對中折爲兩頁，中縫處印有「吉字中營」四個字。李秀成寫好的自述全部送到了曾國藩那裏。這些天他忙得無片刻安息，桌上已積壓七八十頁了。今天他摒棄一切瑣事，要專心致志地審閱一番。李秀成的字寫得很潦草，錯別字很多，曾國藩看起來很吃力。這兩年他的視力是越來越不濟了，右眼時常疼痛，視力極差，左眼也大不如前。他找來一個西洋進口的放大鏡，一個字一個字地看，有些字，還得費神去猜測，結果弄得速度很慢。直到深夜，三萬多字的供詞還有四五千字沒看完，已是頭昏眼花，實在堅持不下去了，他走出簽押房到後院散散步。院子裏涼爽，人也覺得舒服些。

李秀成的自述，從天王出生寫起，其中包括創拜上帝會，與楊、馮、蕭、韋、石在金田村起義，一路打永安，打長沙，打武昌，最後打下金陵，建都立國；而後寫自己的身世，如何參加起義軍，以及這些年來的戰功；再寫六次解天京之圍的經過和經營蘇州，常州的政績，接著寫天國最後幾年國勢頹敗及其原因，最後寫自己如何為天王盡愚忠等等。一個僅讀過三年私塾的人能把太平天國這十幾年的軍國大事，以這樣簡短的篇幅井井有條地寫出來，曾國藩讀著讀著，常常發出感嘆。記憶超人、才華出衆、處事精明、用兵神妙、忠於主子，這些方面，都是世所罕見的。這樣的全才將領，不要說八旗、綠營找不出，就是在湘軍裏也找不出一個，曾國藩甚至覺得自己在這些方面的總和上，也不如李秀成。可惜呀，可惜一個曠代之才誤投黑暗！尤其在讀到「今天朝之事已定，不甚費力，要防鬼反為先」一句時，曾國藩禁不住放下紙來，為之沉思良久。

在後院轉了幾圈後回到房裏，曾國藩仍無睡意，又將李秀成的自述繼續讀下去。忽然，幾行字跳進他的眼簾，引起了他的注意：「天京城裏有聖庫一座，係天王的私藏，天王長兄次兄各有寶庫一座，傳說裏面有稀世珍寶，但我未見過。」曾國藩被這幾行字弄得大為不安起來。早在幾年前人們就在傳播這樣一句話：金陵被長毛建成了一個小天堂，裏面金銀如海，財貨如山。

因此引起了許多人垂涎，當年和春、張國梁等人之所以拚命圍城，據說就是想得到這筆財產。

昨天，在曾國荃的陪同下，曾國藩看到了朱洪章的營房。進得門來，裏面鬧哄哄的一片，三四個大箱子敞開著珍珠銀錢、綾羅綢緞撒滿一地。見了曾國藩兄弟進來，大家嚇得不知所措。朱洪章忙將一個朱紅大箱的蓋子蓋好，一屁股坐在上面，望著曾國藩傻笑。

「朱鎮台，你們在幹什麼？」曾國藩已知七八分，正要教訓幾句，曾國荃忙岔開說：「朱鎮台，你們玩得好起勁喲，連箱子都拿來當賭注了。」朱洪章「嗯嗯」兩聲反應過來了，離開箱子站起，仍舊是傻笑著說：「中堂大人，不知你老駕到。過兩天卑職專備一桌薄酒，請你老賞臉。」

「好，好！你說話算數，過兩天我和中堂再來赴宴。」曾國荃打著哈哈，邊笑邊把曾國藩拉出了大門……

是的，金銀財寶，長毛的金銀財寶，沅甫對它是如何處置的呢？到金陵這些天來，一直沒有功夫和他細談這事。「荊七！」曾國藩喊。王荊七過來了。「你去請九爺過來。」

「老九，李秀成的供詞，我看了大部分，你抽空也看看。」待國荃坐下後，曾國藩將李秀成的自述揚了揚說。

「這會子哪有這個閒功夫。」曾國荃以一種鄙夷的態度說，「一個不通文墨的綠林草寇，能寫個什麼東西出來。」

「老九，李秀成雖讀書不多，但條理清楚，識見有大過人之處，就是你我兄弟，論個人的才情，也未必能超過他。」

「大哥你把他抬得過高了。」曾國荃冷笑道。

對於這個親弟弟，做大哥的是再清楚不過了。漫說一個被他打敗的長毛頭領，就是當今公認的高才左宗棠、彭玉麟、李鴻章等人，他也不放在眼裏。現在立此大功，更是洋洋自得目空一切了。這一點令曾國藩深爲憂慮。他知道不可說服，便指著剛才那段話說：「你看李秀成說的什麼。」

曾國荃將這頁紙拿過來看了看，臉色有點不自在：「什麼聖庫、寶庫，我們都沒有見到。」說著將紙往桌上一甩。

「老九，這幾天忙得昏頭脹腦，我忘記問你了，破城前，你有沒有對將士們說過，不准將金銀財寶據爲私有？城破後，有沒有採取些必要措施來保護？」

「沒有。」曾國荃答得乾脆。

曾國藩心裏很不是味道。要在先前，他馬上會黑下臉來重重地說幾句，現在，他從心裏感謝弟弟為他掙了這樣大的臉面，也憐憫弟弟攻城辛苦。略停一下，他仍以和悅的態度問：「老九，外間早已哄傳金陵城裏金銀珍寶是如何如何地多，城破後那幾天雖沒來得及保護，現在還可以下令封存。」

「大哥，你來金陵前我就下令過了。」曾國荃懶洋洋地說，一副不太樂意的樣子。

「那就好，那就好！」曾國藩忙讚揚。

「但各營都來報告，說並沒有看見長毛的什麼財產，小天堂啦，金銀如海啦，都是假的。」

「假的？」曾國藩大吃一驚，「如山如海，當然過頭了，完全沒有是不可能的，我擔心的是剛進城的那幾天一片混亂，金銀都入了各自的腰包。」

「大哥說得有道理。」曾國荃的態度開始認眞起來，「長毛經營了十幾年的僞都，要說它完全沒有金銀財寶，鬼都不相信，這些營官的話還能瞞得過我嗎？我心裏明白，一定是他們入了私房。不過我沒有講他們，說聲『沒有就算了』！」

「不追查不行，你要知道，朝野內外多少人在盯著這筆財產，戶部早就傳下話來，要靠這筆錢來發欠餉。就是我，也等這筆錢來給鮑超、張運蘭、蕭啓江他們發欠餉，都欠了好幾個月了。鮑超霆字營有五個月沒發餉了，那天我要他沿僞幼主南逃路線跟踪追擊，他還不情願，想守著金陵這座金庫分錢，我答應他就這個月補齊，他才走。」曾國藩說的都是實情。

「戶部等金陵的錢來發欠餉！」曾國荃冷笑一聲，「他們那些大人老爺們自己為何不來打？」

「老九，你這話過頭了！」曾國荃盛氣凌人的態度，使得曾國藩忍不住有點生氣了。

「怎麼是過分呢？大哥。」曾國荃不以為然地說，「戶部大人老爺們坐在京師安享清福，他們哪裏知道我們的苦啊！」曾國荃說著激動起來，「弟兄們捨生忘死打金陵，到底圖的什麼？說是為光復皇上的疆土，皇上也應該領情，論功行賞才是！大哥，這些年皇上是怎麼樣賞我們的呢？我吉字營五萬將士，積功而保記名提督的有三百多人，記名總兵的八百多人，記名副將的一千多人，其餘淮保參將、游擊、都司、守備、千、把的加在一起總有萬多，實缺有幾個呢？全部加起來總共只有五人。大哥，只有五個人呀！」曾國荃兩隻眼睛像不甘瞑目的死人一樣，直瞪瞪地望著大哥。曾國藩覺得這兩道目光如此陰冷，如此淒厲，使他身處三伏之中，直覺通體冰涼。「沒有實缺，空銜頂屁用！一萬多人排隊輪著等缺，只怕是排到老都排不到，至於沒有得到保舉的弟兄們，連這個念頭都沒有。大哥，吉字營並不比霆字營好多少，弟兄們也有兩三個月沒有發餉了，大家眼瞪瞪地就望著這個小天堂，才那樣拚著老命去打呀！朝廷對我們這般薄情，現在弟兄們自己打下金陵，從戰利品中取點東西，有什麼不可以呢？我這個統帥還忍心去追查嗎？那天朱洪章營房箱子裏全是金銀珠寶，我明明知道，也只能裝作不知，讓他們去分了。」

這番話，說得曾國藩竟無言以對，停了好長一會，曾國荃才緩過氣來，以平和的口氣說，「戶部要錢我不理睬，心安理得，大哥要錢不能給，我心裏不安。不過，大哥，你也別太心軟了，鮑超、張運蘭、蕭啓江他們各有各的路子，哪一個不是打下一個大城就大搶大掠的，把個城池弄得像蝗蟲過境一樣？大哥不要聽他們叫苦，鮑超那傢伙我知道，霆字營再有五個月不發餉也餓不死人。以後朝廷來問也好，別人來問也好，大哥只管說金陵城空蕩如洗，吉字營一兩銀子也沒得到。」

「要我說金陵城無金銀可以。」曾國藩雖不贊同弟弟這番話，但他覺得沒有更多的理由可以說服他，那些廉潔、報國等大道理，眼下對這個吉字營統帥來說，都是不起任何作用的空話廢話，而對於五萬吉字營將士來說，更簡直如同放屁一般，不但不會激發他們的忠心，反而促使他們對朝廷的更加憤慨。「但李秀成已說了，金陵城有聖庫、寶庫。」

「他說他的，他說有什麼用！」曾國荃似乎從來沒有把李秀成當個什麼角色。

「怎麼沒有用？他若當面對朝廷說起這話，不就壞了大事！」

「怎能讓他去瞎說呢，給他一刀，不就完事了。」

「沒有這麼簡單，沅甫。」曾國藩望著弟弟，微微搖了搖頭，「朝廷已知抓了李秀成、洪仁達，我想十之八九會要將他們押到北京去，由刑部鞫訊。」

曾國荃感到事情嚴重了，尤其是洪仁達，他不但會講出聖庫、寶庫的事，還一定會講出御林苑的珍寶事。那一夜，曾國荃帶了幾個心腹，偷偷地在御林苑牡丹園挖出三罎子奇珍異寶，這些珍寶若換成銀子，曾氏家族十輩八輩子都用不完。

「明天就將李秀成、洪仁達凌遲處死！」曾國荃堅決地說。

「怕不行吧！」曾國藩輕輕地說，「上次奏摺上說，是獻俘還是就地處決，等聖旨決定。」

「大哥！」曾國荃刷地站了起來，以不容分說的強硬口氣說，「決不能因這兩個跳樑小丑壞了我吉字營五萬將士的大事，我曾國荃寧肯冒天下之大不韙，也不能授人以口實。李秀成、洪仁達是我捉的，明天就由我下令處決。今後有天大的關係，大哥你只管往我身上推就是了！」說罷，也不跟大哥打招呼便出了門。曾國藩在心裏嘆了一口氣，以無聲表示同意了他的處置。

不獻俘，今後可以用李秀成並非元凶，援陳玉成、石達開的成例，還可以用怕途中絕食或被搶奪等話來搪塞。但李秀成的供詞是一定要上報的，類似這樣的文字，怎能讓朝廷看見？曾國藩拿起筆來，把「聖庫」那段話塗掉了。

經這番折騰，曾國藩的審閱更仔細了，才看了幾頁，不對頭的話又出來了：「心有私忌，兩家並爭，因此我而藏不住，是以被兩個奸民拿獲，解送前來。」這怎麼行呢？曾國藩記得在給朝廷的報捷摺裏寫的是：「僞忠王一犯，城破受傷，匿於山內民房，十九夜蕭孚泗親自搜出。」倘若李秀成這幾句供詞讓朝廷知道了，不僅蕭孚泗的功勞沒有了，自己也犯了欺騙朝廷，貪功爲己有的大罪，他提筆將「是以被兩個奸民拿獲」九個字改爲「遂被曾帥追兵拿獲。」再讀下去，曾國藩不由得驚呆了，只見李秀成赫然寫道：「罪將謝中堂大人不殺厚恩，願招集大江南北數十萬舊部歸中堂統率，爲光復我漢家河山效力。」這個該死的囚徒，這不是教唆我去造反嗎？哪裏是感激我的厚恩，分明是送我上斷頭台！他將這一句話狠狠地塗掉了。過一會又覺不妥，乾脆用剪刀剪下來，放在燈火上燒了。隨著字條化爲飛灰，曾國藩全身都酸軟起來，兩眼昏花發痛。這才意識到天已快明了，遂將幾十頁供詞疊好，鄭重鎖在竹箱裏，決定明天再仔細地一字一句地從頭看一遍，凡不合適之處都要塗掉，有的乾脆整頁燒掉算了！

曾國藩疲憊不堪地躺在床上，卻又不能入睡，一時忽然想起逃走在外的洪天貴福，心中很覺不安。沒有抓住這個長毛幼天王，畢竟是老九的最大疏漏，他一定是南逃了，會去江西找李世賢，沿途必將經過李鴻章、左宗棠、沈葆禎的地盤。若是半途死亡，倒也罷了，倘若被李、左、沈等人抓住，豈不白白讓他們撿了一個大功！老九呀，老九，你是被打下金陵城的勝利沖昏了頭腦，還是被小天堂的財寶迷花了心性，當時爲何不將缺口守住？得知主犯逃走後，爲何不派得力人馬去追趕？而現在，這一切都晚了！

七 爭奪幼天王

事情果如曾國藩所料，就在金陵城內審訊李秀成的同時，從蘇南到贛北，一場爭奪幼天王的激烈戰鬥正在進行。

李秀成被捕幾天後，蕭孚泗部下一個什長，將這個驚人的消息告訴了駐紮在湖熟的一個淮軍酒肉朋友，又根據自己的揣摩對這個朋友說，隨同李秀成出城的人中，必定有許多長毛大官，還有大批金銀財寶。這個淮軍是個有心計的人，他連夜將這一重要情況稟報統領李昭慶。正對吉字營眼紅得要命的李昭慶一聽，喜得心花怒却放，隨手賞給他一錠七兩多重的銀子，叮囑他千萬不能再說出去。第二天，李昭慶快馬加鞭到了常州。李鴻章住在城內原太平軍擁王陳坤書的府裏。

「二哥，這可是一批漏網的大魚呀！你說怎麼辦？」報告情況後，李昭慶興奮地問。

「是的，說不定中間還混有魚王哩！」李鴻章也按捺不住內心的喜悅，站起來，在屋裏快步來回走著。

「二哥，你是說，長毛的小天王有可能夾在這批人裏？」

「很有可能！」李鴻章摸著下巴答道，兩眼射出光彩來。

「你怎麼知道？」李昭慶頗爲奇怪。

「老三派在金陵城裏的細作傳出信來，說曾老九沒有抓到小天王，連洪仁玕都沒抓到。看來，他們是混在這批人中間逃出了城。」李鴻章邊說邊走到大掛圖邊，凝神端望。

「哦！」李昭慶點點頭，心想：原來金陵城裏還有淮軍的細作，這事怎麼不見二哥三哥說起？

「老四，你過來一下。」

待李昭慶走到掛圖邊，李鴻章以手指劃著圖紙說：「現在的情況是，蘇南已被我淮軍肅清，浙江大部分地方也由左季高的楚軍收復，蘇浙一帶雖有長毛的零星部隊，但不可能成氣候，能構成影響的是麇集在贛東北的僞侍王李世賢和僞來王陸順德，據說他們擁有十多萬人馬。」

「這樣說來，逃出金陵的這批長毛，很可能會去江西與他們會合。」李昭慶不待他的二哥說完，就急忙發表了自己的看法。

「是的。」李鴻章的語氣極爲肯定。

「我帶弟兄們去攔截！」李昭慶迫不及待。他心裏想，若是有幸抓到小天王，那自己頃刻之間便名揚天下了。

「應立即去攔截，去晚了，這批大魚就會落到左季高、沈幼丹他們的手裏。」李鴻章瞇起眼睛盯著掛圖，「不過，由方山南逃去江西，有兩條大道，一是往西走秣稜鎮，一是往東走隆都。你帶八百弟兄，輕裝疾行，迅速趕到安徽太平府，從那裏將長毛截住，東邊一路，叫老三去堵。」

「好，我即刻回湖熟調人。」李昭慶說完就要轉身。

「慢點。」李鴻章拍著四弟的肩膀，鄭重地說，「若是發現了小天王，要千方百計抓活的。抓到後，就押送到常州來，我再爲你上一道奏章，請求在京師舉行隆重的獻俘儀式。」

「但願這個幸運會落到我的頭上！」李昭慶說完出了門，跨馬揚鞭，向北飛奔。

從太平門缺口僥倖逃出的這支太平軍，自從失去了李秀成後，便由干王洪仁玕負起了指揮全軍的擔子。危境中的洪仁玕頭腦異常冷靜，他深知這支軍隊決不能打仗，它的任務是盡快護送幼天王到江西，與李世賢會合。這樣，分散在贛、浙、閩一帶的太平軍，就有了名正言順的領袖，就會再團結起來，天國的旗幟也就不會倒下。眼下人員雖有二千出頭，但受傷生病的過半，嚴重地拖住了全軍的速度，若不迅速趕到江西，則隨時都有可能被追兵或沿途官軍抓獲，且二千人的隊伍，尋找食物也是一個很大的問題，必須將傷病員留下。洪仁玕與林紹璋等人商議，大家都有同樣的看法。經過一番苦勸之後，傷病員被說服了，又留下一些無傷病的人，以便照顧。這樣，部隊只剩下五百人了。

干王將這五百人重新作了一番整頓組織，安排二十個本事高强的年輕人專門保護幼天王，又安排十個人看護兩個小王娘，再安排五十人負責尋找食物。又叫大家統統脫掉官軍衣帽，換上百姓衣服，只是頭上的長髮一時無法剃，都使用各色布包裹著。爲確保安全，都改作夜行曉宿。如此，居然平平安安走了幾百里，李昭慶也並沒有追上。

李昭慶不死心，帶著人馬繼續翻山越嶺追趕。他每走一天，便留下二三十個人，爲的是怕走快了，超過了太平軍，讓留下的人回過頭再慢慢搜索。一旦發現情況，就立即飛馬報告。李昭慶相信自己已布下了天羅地網，從曾老九手中逃出的小天王，決不會再從自己的眼皮底下溜過。

這一天，李昭慶的追兵來到皖浙贛交界之地婺源縣屠家寨，當夜宿在鄉紳屠光之家中。屠光之是這一帶的土皇帝，手下有一百多個園丁，方圓三四十里地方，稍有風吹草動，都在他的掌握中。吃早飯的時候，團練頭領向他報告，凌晨有一隊四五百號人來到松木嶺山腳，不知是幹什麼的。屠光之警惕起來，他怕强盜來打劫山寨，於是一面叫團練嚴加監視，一面吩咐山寨堅壁淸野。一天下來，不見任何動靜，屠光之懷疑這批人會長期住下來，心中甚是不安寧。恰好傍晚時分，李昭慶帶著五六百號人來了。屠光之要借官軍的力量保衞山寨，遂將這一情況告訴李昭慶。李昭慶心想：衝出金陵城的長毛有二千多人，這批人只有四五百號，是不是太平軍，還不能肯定。他又累又餓，不願親自去，命令手下一個哨長帶三十多個弟兄，打著燈籠火把去松木嶺看情況。

半個時辰後，哨長回來報告，松木嶺山脚下的人無影無踪了，只撿來幾張廢紙。李昭慶把廢紙抹平，一一細看，發現有一張是一道布告的殘片，那上面有「天父天兄」「淸妖」等字。「這正是我們追的那伙長毛！」追趕了半個月之久，終於發現了踪跡，李昭慶驚喜萬分，立即下令，「馬上出發，四處追尋！」

李昭慶招來幾個屠家村的團練帶隊，在樹林草叢中轉了一夜，直到天明，都沒有看到這隊人的影子。正在沮喪之時，一個勇丁遠遠地看到對面山裏的小道上，有十幾個人在奔跑。

「四帥，那邊有人！」他慌忙報告李昭慶。

李昭慶舉起掛在胸前的千里鏡，向對面山上看去，只見樹林中隱隱約約有上百號人正在往深山中鑽去。

「快追！」李昭慶大聲下令。

淮軍官勇們顧不得疲勞，鼓起勁頭向前奔跑。約跑了三里多路，忽然從另一道山坡上殺出一支甲胄鮮明、荷槍實彈的人馬來，將李昭慶的淮軍半路攔住。

「你們是什麼人？」李昭慶喝道。

「我們是楚軍！」一個慓悍的漢子答話，並指著身邊的一個中年漢子說，「這是我們的總兵王開琳大人。」

「原來是王軍門。」王開琳是左宗棠手下的大將，李昭慶早聞在名，只是從未見過面。

「你叫什麼名字？」王開琳威嚴地立著，冷冷地問。

「卑職乃淮軍分統李昭慶。」

「哦，原來是李四爺！」王開琳立刻換上滿臉笑容，客氣地抱拳，「久仰，久仰！」請問爲何事到這裏來？」

「我奉二哥之命，前來追捕從金陵城裏逃出的長毛。」

「從金陵城裏逃出的長毛！」王開琳驚道，「這些人在哪裏？」

「就在前面那座山林裏。」李昭慶用馬鞭指了指前方說。林子裏早已不見人影了，他心裏焦急不已。

「噢，你說的是剛才那一伙人？」王開琳輕鬆地笑道，「那不是從金陵城裏逃出的，那是長毛汪海洋手下的一批人，被我們追趕幾天幾夜了。這不正是要去抓他們！」王開琳轉過臉，望了望他身後的人馬，右手將腰間的佩刀抽出兩三寸。

「不是金陵城逃出的？」李昭慶將信將疑，略停一會說，「王軍門，不管他們是哪裏的，反正是一伙眞長毛，我們一起去抓吧！」

「不煩李四爺了，這班傢伙早已成了我們的獵物。」王開琳說著，伸開雙手，做了一個阻攔的姿勢。

李昭慶起了疑心。有人來幫忙，是大好事，爲什麼要阻攔呢？「王軍門，長毛是困獸猶鬥，凶狠得很，你的人手少，我幫你一網打盡！」

「不用了。」王開琳收起笑容，認眞地說，「你剛才說追趕從金陵逃出的長毛，倒使我想起來，昨天有一個老頭告訴我，有一大隊留滿腦長頭髮的長毛從黃沙鎭方向去了。」

「眞的！有多少人？」李昭慶問。他心裏想：莫非那伙人才是眞的從金陵逃出來的。

「老頭說不清，總有好幾百吧！」王開琳指著前面說，「李四爺，你回頭走，穿過屠家寨，往南投大道，再過鬼面岩，就到了黃沙鎭。快去吧，不要誤了大事。」

「好！王軍門，我們回頭見。」李昭慶抱了抱拳。

「回頭見，李四爺，祝你交好運。」王開琳也抱了抱拳。

待李昭慶走遠後，王開琳哈哈大笑一聲，對部屬們一揮手，說：「弟兄們，我們進山抓小天王去！誰親手活捉了小天王，左制軍賞他三百兩銀子！」

楚軍們歡呼雀躍，一齊向山嶺沒命地奔去。

這是怎麼回事呢？王開琳如何知道洪天貴福在這裏？原來，早兩天王開琳的部下抓到兩個滿腦頭髮的漢子送來。王開琳一看便知道是太平軍，遂親自審問。那兩個人恰恰是幼天王身邊的衞兵，因脚受了傷，跟不上隊伍被抓了。開始他們死不承認，當後來從一個人的身上搜出了一頂綉龍黃軟緞帽時，才不得不招供了自己的身分。王開琳這一驚非同小可，於是花言巧語哄著這兩個衞兵，又給他們吃飯、敷藥。就這樣，把一切給套了出來。眞是從天上突然掉下一份富貴！王開琳暗暗感激老天爺的保祐，立即點起一千多人沿途追來。到手的鴻運豈能讓給別人？王開琳隨隨便便扯了一個謊，便把李昭慶支走了。

當王開琳進山來時，卻不見了幼天王人馬的踪跡，氣得跺脚大駡李昭慶誤了他的事。王開琳哪裏肯罷休，命令兵士們漫山遍野放銃敲鑼，高聲呼喊。他認定這伙長毛已成驚弓之鳥，只要把氣勢造得足足的，內中總有膽小沉不住氣的會蹦出來。

王開琳這一著也眞是有效。就在幾里之外，被林木遮掩的太平軍將士們淸淸楚楚地聽到四處的響聲、喊鬧聲，十六歲的小天王早嚇得全無主張，連對洪仁玕說：「干王叔，怎麼辦呢？看來今天是死在這裏了。」

洪仁玕把幼天王摟在懷裏，安慰說：「陛下不要急，天父天兄會保祐我們的。」

林紹璋等人也急了，都圍在干王周圍，請他拿主意。這種時候，干王能拿得出什麼主意呢？他只有下令：朝沒有響聲的地方走！又走了三四里，誰知來到懸岩邊，沒路了！這下大家都傻了眼。這是一批天國最忠誠的將士，幾乎無人想到投降，許多人都在無聲地作最後的安排。洪仁玕緊緊拉著幼天王的手，心裏頭也作了最壞的準備：萬一被清妖包圍了，則效法陸秀夫，抱著幼天王從懸岩上跳下去，一道以身殉國。

正在這千鈞一髮之際，忽然，側面密林深處走出一個白髮老叟。老叟手拿一把小鋤頭，背後背一個長竹簍，簍子裏裝滿了草藥。洪仁玕似乎看見了一線希望，趕忙迎著老叟走去。

「請問老伯，此處前面可有路否？」洪仁玕向老叟深深鞠了一躬，十分謙恭地問。

「客官難道沒看見嗎？前面是懸岩陡壁，哪來的路！要尋路，只得回頭去。」老叟從從容容地答道。

這時，從後面又傳來一陣陣喊殺聲，眼看追兵就要發現他們了。

洪仁玕無法，只得再次對老叟說：「老伯是本地人，一定熟悉這裏的地形，懇請老伯指引，能絕處逢生，日後老伯不論有任何要求，我們都能滿足。」

老叟將洪仁玕細細看了一眼，又向四周的人環視一通，然後嚴肅地問：「你們究竟是什麼人，準備到哪裏去，實話告訴我！」

事到如今，也沒有隱瞞的必要了。洪仁玕痛快地說：「老伯，我們都是太平天國的將士，從天京城裏逃出來的，準備去江西與大隊人馬會合，再樹天國大旗，與清妖決戰到底！」

老叟一聽，臉色頓時陰沉下來，輕聲問：「照你說來，天京已被湘軍破了？」

「正是。老伯，我們已實話對你說了，你能幫我們的忙嗎？」

「既然是逃難的天國將士，老夫給你們指一條路。」

幼天王和兩個王娘一聽，忙說：「請老爺爺指路！」

老叟帶著洪仁玕來到懸岩邊，指著下面離頂部七八丈遠的一棵老松樹說：「好漢們請看，這棵百年松樹之下，有一個千年古洞，穿過這個古洞，就到了德興縣，那已是江西省的地面了。」

「洞的出口，離此地有多遠？」洪仁玕問。

「如果此地沿著山路走，兩天到不了。」老叟不經意地回答。

洪仁玕默默地感謝天父天兄及老天王在天之靈的保祐。

林紹璋問：「怎麼下去呢？」

「搓青藤滑下去。」老叟說，「三十年前我下過一次，洞口處像一個大廳，可容納上百人。」

洪仁玕立即命令將士們砍青藤編繩子，很快編成了一根十丈長的藤繩。老叟將它的一頭繫在山頂一棵大樟樹上，另一頭則順著懸岩甩下去，恰好到松樹邊。林紹璋說：「我第一個下！成功後，我站在洞口向上射一支箭。」

說完，林紹璋像一隻敏捷的猿猴，順著藤繩滑了下去。一會兒，從樹松下射出一支箭來。成功了！干王雙手抱著老叟的雙肩，感激不已。於是又編了兩根藤繩，照剛才的樣，一頭繫在山頂樹上，一頭甩下去。大家都學林紹璋的樣，一個接一個地從山頂進了古洞，連幼天王和王娘也都壯起膽子下去了。山頂上，只剩下干王和老叟兩個人。

「好漢，你也快下去，我在上面替你把藤繩扔掉。」

洪仁玕滿眼含淚，激動地對老叟說：「老伯伯，你的救命大恩，我們無以為報，請受我一拜。」

說罷雙膝跪下，對著老叟磕了一個頭。老叟忙扶起，說：「快下去吧！」

洪仁玕握緊青藤，正要下滑，老叟突然說：「好漢，你能給我點東西留作紀念嗎？」

洪仁玕如同大夢初醒似地，說：「哎呀，是我的不是，老伯伯這大的恩德，我居然沒有想到要送你老人家一點金銀。現在他們都下去了，我身上卻沒有銀兩，如何辦呢？」

「老夫是山野中人，要銀兩幹什麼？你能不能在你隨身帶的東西裏，挑一件給老夫，以便作永久紀念。」

洪仁玕摸摸身上，什麼也沒有，只有腰間綉袋裏藏著的一顆長方形玉印。這是他隨身携帶須臾不離的寶物，這時也顧不得了，忙取下，雙手捧起，遞給老叟，莊重地說：「老伯伯，你好生保存它，說不定三年五載，我天國將士將會重新殺回來的，那時你帶著這顆印來找我。」

老叟將玉印接過，看著，只見上面端端正正刻著兩行仿宋字：欽定文衡正總裁精忠軍師干王洪仁玕。

「你就是干王殿下！」老叟大驚。

「是的。」洪仁玕平靜地說，「實不相瞞，剛才下去的那個少年，就是我們的幼天王。」

老叟頗爲激動地望著洪仁玕，說：「干王，有你在，我相信太平天國一定會復興。你們千萬記住，再不可鬧內訌了。天國前段的失敗，根子就在丙辰六年的內訌上！」

「老伯，我們一定會記住！」洪仁玕邊說邊順著青藤溜了下去。

老叟不慌不忙地砍斷青藤，將它們扔在百丈懸岩下，然後背起竹簍，很快隱沒在林木中。半個鐘頭後，王開琳帶著追兵來到懸岩邊，低頭望下去，但見谷底深不可測，一股冷風從脚下吹來，渾身不自在。他搖了搖頭，對部屬們說：「前面無路了，分散到左右兩邊去搜查吧！」

王開琳在這一帶搜尋了三天三夜，再也見不到幼天王的踪跡了，這才掃興地來到杭州，將這一情況報告了閩浙總督、楚軍統帥左宗棠。

「長毛的小天王眞的逃到浙江來了?」左宗棠問。他放下公文，兩手興奮地搓著。

「一點不假。」王開琳從袖口裏掏出洪天貴福的綉龍帽遞了過去，「左帥，你看看這個。」

左宗棠接過，略微看了一下，便甩在案桌上，右手用力拍了一下桌面，大聲嚷道:「這個曾滌生，他居然敢欺蒙太后、皇上!」

「他對太后、皇上說些什麼啦?」王開琳問。

「他的報捷摺裏說『僞幼主積薪宮殿，舉火自焚。』虧他說得出口。」左宗棠順手抓起一迭紙扔了過去，說，「這是昨天收到的從安慶發來的咨文，你看看吧?」

當時，長江南北與太平軍作戰的清廷軍隊，無論是湘軍內部，還是淮軍、楚軍，以及綠營各部，每有重大戰役的奏報，拜摺之後，都以咨文形式互相通報，以利彼此了解情況。左宗棠收到這份江寧攻克的咨文時，心中的感情甚爲複雜。江寧破了，無疑是太平天國徹底覆滅的象徵，作爲一個與太平軍周旋十多年的朝廷官員，左宗棠當然很高興，因爲這勝利中有他的一份不可磨滅的功勞。另一方面，對於一個渴望建天下第一奇功的「今亮」來說，左宗棠心裏也頗覺泛酸。他一向認爲自己的才能舉世無雙，攻下江寧的喜訊，應當出自以他的名義上報的奏章，而不是別人。他從心裏瞧不起不學無術的曾國荃及其軍紀腐敗的吉字營。他覺得曾國藩將圍攻江寧的大事不交給他，而交給曾國荃，是曾國藩最大的謀私利。這個一向標榜以誠待人的曾老大，在這件事上充分表現了他的虛僞，他的自私，他的乖巧。而這份奏摺，貌似謙虛，骨子裏卻大肆誇耀他曾家的成績。尤其令左宗棠不能容忍的是，這樣一份報告整個太平天國滅亡的大奏章，居然不提楚軍這些年轉戰江西、浙江的苦勞成績。若沒有楚軍收復浙江、拖住大批太平軍的先決條件，曾老九那個混小子能有今天的成功嗎？怎過來，卻又把毫不相干的官文拉來領銜，且不說官文是左宗棠的死對頭，就從公這一方面來說，官文夠得上受此榮譽嗎？

「左帥，這份奏章有欺君之罪！」王開琳憤憤地說。他對曾國藩一直有著隱隱的怨恨。他的二哥王鑫是公認的第一流將才，曾國藩就是不重用。咸豐四年，他和四弟開化在湘鄉募勇，人馬即將募齊了，卻不料王鑫還被遣還湖南，原定計劃破產了。如果曾國藩對待王鑫，也和對待曾國華、曾國荃一樣的話，他王氏家族也必定會有今天曾氏家族、李氏家族的榮耀。

「左帥，你給太后、皇上上個摺子，參他們一本！」王開琳慫恿道。

「對，應當上個摺子。」左宗棠心裏想。首先，洪天貴福並沒有死在金陵城，而是出逃在外，至今尚未抓住。這件大事必須告訴太后、皇上。由太后、皇上下旨，命各省各地嚴密搜索捉拿。擒賊須擒王，斬草須除根，現在王未抓獲，根未斬除，難保不再萌生禍亂。作爲一個肩負重任的總督，一貫辦事認眞的左宗棠，認爲自己責無旁貸地要向朝廷報告。

另外，他也對曾氏兄弟在這樣一件大事上公然欺騙太后、皇上感到氣憤。曾氏兄弟蒙受朝廷大恩，理應在各方面爲全國將帥的榜樣，現在打下一座金陵城，就如此欺上瞞下、目無天下，發展下去，豈不會謀反篡位？這一點，對曾國藩來說，通過修改神鼎山聯語一事，左宗棠相信他或許不至於，但對於曾老九及其手下那批虎狼將士，左宗棠敢斷定，若不示以天威，十之八九會被勝利沖得昏頭昏腦，飄飄然不知自己爲何許人！是的，要上一道措辭强硬的奏摺，敲敲他們發熱的腦子，讓他們知道這天底下有的是人，並不是他們曾家兄弟一手所能遮蓋得了的！

「王開琳！」左宗棠一聲高喊，把身邊的王開琳嚇了一大跳。

「末將在！」

「僞幼天王很可能是逃往江西與侍逆會合去了，你再點二千人馬，將西去的各條道路嚴密堵住，務必將僞幼天王擒來見我！」

「是！」王開琳答道。

當王開琳離開杭州時，洪仁玕已將這批人馬安全帶到江西，正要與李世賢接頭時，卻不料又走漏了風聲，江西巡撫沈葆禎派出降補知府席保田率兵追堵。後終因寡不敵衆，幼天王洪天貴福在江西石城被席的部下抓住。消息傳出，王開琳垂頭喪氣，左宗棠也大爲失望。

第八章　殊榮奇憂

一　李臣典不光彩地死去

奉命監斬李秀成、洪仁達的是記名提督歸德鎮總兵典字營營官李臣典。圍觀的老百姓有好幾百人。邢金橋、邢玉橋兄弟也夾雜在中間。那天夜裏，邢金橋趁著湘軍只管李秀成不管他的空子，半路上逃走了。前兩天兄弟倆帶著些中草藥和狗皮膏藥，在金陵城裏擺個地攤糊口，看到城門上的告示後，他們特地趕到清涼山來爲忠王送行。當他們看到素日敬仰的忠王口吟絕命詞從容就義的時候，心裏難受極了。得知李臣典肆無忌憚恣行淫樂的事後，兄弟倆對這個監斬的劊子手更爲痛恨，決定弄死他爲忠王報仇。

第二天，邢氏兄弟將不久前在方山捉到的一隻十年雄蠑螈焙乾磨成灰，用祖傳下來的祕方，配製了十多粒藥丸，又取出一個百年老葫蘆來盛著，走到神策門外典字營的駐地，有意將地攤擺在營房旁邊。邢金橋拿出一塊布，鋪在地上，把各色中草藥一小堆一小堆地放好，又拿出一塊淺黃色綢簾來，懸掛在一株老槐樹杈上，綢簾上有四個黑字：「悲天憫人」，就將那只百年老葫蘆掛在綢簾旁邊，取的是古人懸壺濟世的典故。就在這個時候，邢玉橋已敲響了手中的小銅鑼，一面高聲嚷著：「爲祝賀金陵光復，邢家老藥店散藥行醫，消災弭難，救死扶傷，市民求藥，收取半價，若是攻克金陵城的英雄們要藥，本藥號仗義奉送，分文不取。」

一時間，小小藥攤邊便圍滿了人，大部分是典字營的官勇。這些官勇幾乎人人都有外傷，又加之天氣炎熱，酒肉吃得過多，肚瀉腹脹的也不少，於是趁著好機會，這個要膏藥，那個要草藥，亂糟糟地擠作一團。人越圍越多，喊鬧聲越來越大，正在屋裏和女人們調笑的李臣典也被吸引出來了。敲鑼的邢玉橋一見李臣典，銅鑼敲得更響了。他站在一條借來的長凳上，猛力敲了幾聲鑼後，對著站在圈外的李臣典高喊：「本藥號還有用祖傳祕方配製的特效强身藥，因用料稀罕，採集艱難，不得已收點本錢。」

「好多錢一服？」圍觀中有人高聲發問。

「實不相瞞，十兩銀子一粒。」玉橋笑著答。

「什麼珍貴的藥，賣這麼貴！」

「賣藥的，這强身藥有哪些好處，要價這麼高？」

「强身藥麼，」玉橋笑容可掬地說，「它的好處眞是妙不可言，只是有一條，不見眞佛不燒香，不是買主，小的也不隨便說出。」

「講不出便是假的！」「騙子！」「拿出來看看吧！」人羣中七嘴八舌地嚷嚷，都對這十兩銀子一粒的强身藥產生了濃厚的興趣，撩撥得李臣典心裏癢癢的。他終於忍不住了，分開衆人走了進來。大家見是李臣典，便紛紛讓開，有人討好地說：「李鎮台，你老也看熱鬧來了。」

「賣藥的，十兩銀子買一粒丸子，你太欺負人了吧！」李臣典兩手叉在腰間，一副十足的蠻橫之態，玉橋恨不得一口把他吞掉。哥哥金橋忙笑著哈腰過來：「聽弟兄們說起，方知大人是赫赫有名的李鎮台，小人失禮了。」李臣典鼻孔裏哼了一聲，並不回答他的話，仍舊叉腰挺腹。「大人是攻打金陵的頭號英雄，我們景仰不已，故而特來大人營房邊，爲弟兄們義務散藥行醫，並不收取分文。只是這强身丸，因爲用料昂貴，不得已而要如此。」

「你的强身丸有哪些奇特地方，你要當著弟兄們的面說明白，否則老子對你不客氣！」李臣典臉上的橫肉鼓脹著，滿嘴噴著酒氣，兇神惡煞似地指著邢金橋的鼻子吼。

「李鎮台說得好！」「當著我們的面說明白！」「說呀，不說是狗娘養的！」典字營的兵勇一齊起哄。

「李鎮台！」金橋對著李臣典的耳朵小聲說，「這强身丸的好處妙不可言，不能對衆人說，我只能對大人你一人說。」

李臣典瞪了他一眼：「好吧，帶著藥跟我來！」

邢金橋取下綢簾邊的百年葫蘆，跟著李臣典出了人圈。有幾個勇丁跟在後面想聽個究竟，李臣典回頭惡狠狠地瞪了一眼，嚇得他們趕忙站住。圈子裏，玉橋仍在高聲叫賣散藥。

「快說吧！」一進屋，李臣典便不耐煩地催促。金橋把門關好，又去關窗戶。「有話快說，有屁快放，鬼鬼祟祟地做什麼？」李臣典鄙夷地呵斥。

「鎮台大人，實不相瞞，這不是別的藥，乃是春藥。」金橋悄悄地說，樣子很神祕。

「春藥？」李臣典眼中射出驚喜的光采，彷彿看到了一個絕色女子。「拿出來看看！」

金橋從葫蘆裏倒出兩粒丸子放在手心，李臣典一把抓過來，仔細看了看，又放到鼻子邊嗅了兩嗅。丸子很普通，黑褐色的，無特別氣味。「你這春藥有什麼效用？」李臣典今年二十七歲，十五歲投奔湘勇，充當曾國藩的親兵，後來又跟著曾國荃，打起仗來勇猛不怕死，十餘年來立了不少戰功。此人最大的特色是貪女色。長期帶兵在外，也沒有在家鄉討老婆，他到處瞎來，每打勝一仗，佔一城池，第一件事便是叫親兵爲他抓女人。營官如此，典字營的官勇個個效尤。典字營成爲吉字大營中風氣最壞的一個營，但打仗也厲害。曾國荃從不因此責備李臣典，李臣典也便有恃無恐。他早就聽說江南女子嬌美，打金陵時便以此爲誘餌，鼓勵士氣。打下城後，他身先士卒搶女人，連洪秀全身邊的宮女也不放過。儘管李臣典年輕力壯，但畢竟經不住過分的戕伐，這些天來常覺精力不支，昏昏欲睡。他只聽說過有春藥，卻從來沒見過，更未吃過，這時候有人送來，眞可謂飢中食、雪中炭，喜得李臣典抓耳搔首，心花怒放，恨不得就去試試。

「我這春藥麼，」邢金橋仍舊笑嘻嘻地悄悄地說，「吃了它，一夜睡三五個女人不要緊。」

「眞有這事？」李臣典把手裏兩粒丸子握得緊緊的，淫邪的目光毫不掩飾地射向邢金橋，射向他背的那只百年老葫蘆。

「一點不假，鎮台大人不妨試一試。」邢金橋見李臣典這副色中餓鬼相，心中暗暗高興。李臣典把手中的兩粒丸子送到嘴邊，剛要吞進去，卻又忽地停下來，盯了邢金橋一眼，大聲嚷：「你是個漏網的長毛，想用這兩粒丸子來毒死老子！」

邢金橋嚇了一跳，沒有想到這個莽武夫粗中有細。他很快鎮靜下來，哈哈笑了幾聲，說：「李鎮台，你眞不愧是一個百戰百勝的將軍，既有膽量，又有謀略，小人欽佩不已，欽佩不已。眼下長毛雖已打敗，但不識時務要報仇復國的人定然不少，大人存這分戒心完全必要，完全必要。不過，對於小人，大人或許不知道，小人家世代在朱雀橋邊開藥號，傳至小人兄弟這一輩，已經是第五代，雖不能說醫藥世家，也可以說是一個本分的家族。提起朱雀橋邢家藥店，金陵城裏無人不知。大人不信，可以在城裏隨便找個人問問。小人不但不是長毛，小人家族男女二十餘口，沒有一人與長毛沾過邊。小人因出自仰慕之心，才特地按祖輩傳下來的祕方配製了十幾粒丸藥敬獻給大人，感謝大人光復金陵，挽救了闔城百姓。大人既然有此疑心，我現在把葫蘆裏十幾粒丸子全部倒出來，任大人挑一個，小人當著大人的面把它吞下去。」說罷，將葫蘆裏的丸子全部倒出。

李臣典見他如此說，懷疑之心大大消除，爲防萬一，仍從中挑了一粒遞給邢金橋。邢金橋看都不看一下便吞了下去。

「好，義士！」李臣典豎起拇指稱讚，「你這藥如何吃法？」

「大人在睡覺前半個時辰，將此藥化在白酒中，三粒丸子，一兩白酒，一口服下。小人保大人夜裏龍馬精神，百戰不衰。」

「好，義士！」李臣典又稱讚一句，「今夜我試試，明天一早你到這兒來領銀子，一粒十兩，一錢不少。現在先給你五十兩，獎賞你這份孝心。」進城後，李臣典擄來的金銀財寶，少說也値十萬兩銀子，辦這種事，出手自然大方得很。

「不，不！」邢金橋直搖手，「小人剛才說了，這藥是敬獻給大人的，不收錢。」

「囉嗦什麼，拿去吧！」李臣典把一錠五十兩的元寶往他面前一丟，邢金橋只得接過，說聲「謝謝」出了門。

邢金橋前腳出門，李臣典後腳就把門關死了。他忙取出三顆丸子來，用上好的白酒化開，一口吞下，在營房外轉了幾圈，心裏像有一把火在燒，渾身頓添千斤之力，看看還不到兩刻鐘，他實在按捺不住了，喚幾個女人進來。李臣典如瘋似狂地跟這幾個女人鬼混了一通，果然覺得效果極佳。到了夜晚，他又取出三粒，用白酒化開喝了，心裏盤算：明早邢金橋來，一定要他說出配方。若好說話，便用兩三千兩銀子買來亦值得，若不好說話，便用刀架脖子來威脅。上半夜，李臣典仍精神抖擻，鬥志旺盛，誰知到了下半夜，四肢便像散了架一樣，一點力氣都沒有了，底下卻流瀉不止。第二天茶飯不思，病勢越來越沈重，第三天全身形銷骨立，已不成人樣了。

原來，邢金橋送的藥的確是春藥，但正確的用法，是一次只能吃一粒，用白開水吞下。邢金橋有意害他，用酒調和吞下三粒，已使李臣典精氣大損，誰知李臣典不到三個時辰連吃六粒，均用白酒咽下。這等於在肚子裏燒了一把火，五臟六腑都燒爛了。李臣典知道上了大當，派人到朱雀橋去找邢家藥號。藥號早不存在，邢氏兄弟已逃之夭夭了。天下之大，到哪裏去抓他們！

第三天下午，曾國荃聞訊趕來，李臣典已氣息微薄了。曾國荃逼著他講出實情。李臣典斷斷續續地說個大概，把個曾老九氣得七竅生煙，看看是個要死的人了，又不忍指責他，心裏恨恨地罵道：「眞是個不爭氣的下流坯子！」臨時叫來兩個隨軍醫生進來看視，醫生得知這個情況，隨隨便便摸了摸脈便搖頭退出，吩咐趕緊備棺木辦後事。李臣典亦自知死在旦夕，請求見曾國藩一面。

曾國藩聽說李臣典病危，大出意外，匆匆趕到神策門外。曾國荃將李臣典的病因告訴大哥，曾國藩恨得半天作不得聲。來到李臣典的床頭，見幾天前還是一個生氣勃勃的戰將，如今卻病得如同骷髏一般，剛才的滿臉怒氣，一時化作無限悲哀。

「祥雲，祥雲！」曾國藩輕輕地呼喚，一邊用手摸著李臣典的額頭。一連呼叫幾聲，李臣典才緩緩睜開眼皮，兩隻眼睛已完全失神了。李臣典看了半天，終於認出曾國藩來：「中堂大人，我不行了。。」聲音細得像一根游絲，曾國藩只得俯下身去傾聽。李臣典說著，又艱難地抬了抬手，卻舉不起來。曾國藩幫他抬起手，只見他指了指站在一旁的胞弟李臣章。李臣章趕緊俯下身來：「哥，你有什麼事要吩咐？」

李臣典望著曾國藩，斷斷續續地說：「臣章的猴伢子過繼給我……日後朝廷……有賞下來……便由我的兒子……領取……」說著說著，頭一歪便閉了眼。李臣章伏在哥哥的胸脯上放聲痛哭。

曾國藩將弟弟拉向一邊，嚴肅地說：「祥雲吃春藥的事要嚴加封鎖，絕對不准外傳出去。倘若走漏風聲，不僅大損祥雲的英名，整個吉字營的臉上都被抹了黑。給朝廷上奏，只能說是因傷轉病，醫治無效而死。此次李臣典必有重賞，過幾天聖旨下來以後，再按新的官銜給他辦一個喪事，喪事要辦得非常隆重，借此追悼所有爲攻破金陵城而獻身的有功將士。」

「大哥，按理說聖旨前天就應該到了，怎麼今天還沒來？」

「誰知道什麼地方耽擱了。」曾國藩的臉陰沈沈的。攻克金陵，功勳蓋世，但皇上酬賞的聖旨卻至今未到，已夠令人心焦了，而偏偏第一個進城的大功臣卻又如此不光彩地死去。望著直挺挺的僵屍，聽著滿屋的痛哭聲，曾國藩心裏忽然湧出一股莫名其妙的憂鬱和恐懼來。

二　皇恩浩蕩，天威凜冽

不是因爲李臣典的飾終，而使曾國荃忽然想起聖旨已過了三天未到。事實上，從六百里加緊紅旗報捷摺發出的那天起，上自曾國荃，下至普通兵勇，所有參與攻克金陵的人，無不在翹首盼望皇上的賞賜。大家都在計算上諭到達的日期：六月二十三日拜發奏摺，一天行六百里，五天可以到達北京，皇太后、皇上接到這份捷報必定龍顏大喜，會立即下達上諭，再傳回來，又是一天行六百里，到達金陵，也只有五天，朝廷的商量以及路上不可預計的耽擱，就打它費去三天時間，七月初六日也應該到了。今天已是初十了，上諭還沒來，什麼原因呢？七月初的金陵城本是一個名符其實的大火爐，熱得使人甚至到了活亦無趣、死亦無懼的地步，而上諭遲遲未來，又給他們煩躁的心情增加幾分焦慮。

原侍王府後花園有一大片竹林，枝葉婆娑，青翠欲滴，曾國藩很是喜歡。午後，他將竹涼床移至竹林裏，旁邊再放一個茶几，他便在這裏寫字看書，累了，就躺在竹床上略爲休息。現在，他正躺在竹床上，心裏也在想著這份上諭。皇太后、皇上會怎樣酬賞呢？他凝視著頭頂上墨綠色竹葉，默默自問。想起在田家鎮和康福密談的那個夜晚，由周壽昌傳出的「攻克金陵的首功之人封王」的金口綸音。那時候這句話曾令他著迷了好長一段時期，聯想到王世全贈劍時所說的那番話，以及武昌、田鎮的順利拿下，他覺得自己是最有希望成爲攻克金陵的首功之人，也就是說，自己將有可能封王。不過，曾國藩也淸楚，自從三藩之亂平定後，漢人不封王，已作爲祖制傳下來。文宗說那句話時，很可能只是一時的高興，也可能想到的只是琦善、和春、都興阿等滿人，並沒有把漢人算在內。眞的是漢人最先攻克金陵，滿蒙親貴也會將祖制抬出來，到時文宗再有心也不能踐約。後來，江西受困三年，百事不遂，他也就再沒有心思去想這些事了。再後來，文宗駕崩，太后秉政，曾國藩對封王之事便不抱希望。即使最先攻克金陵，太后難道還會重提這個違背祖制的許諾嗎？剛開始曾國藩覺得有點遺憾，尤其在攻下安慶，克金陵已成定局的時候，他也曾幻想過，假若文宗仍健在，說不定封王也還有一線可能。但後來他也釋然了，老子說得好：「不敢爲天下先。」天公對名器甚爲矜嗇，這樣一個人人艷羨個個眼紅、近兩百年來再沒有漢人佔有過的巍巍高爵，受之將如處爐火之上，又有何益！封王沒有福分，那麼封侯呢？曾國藩記得，自三藩之亂後，文職也沒有人封過侯。自己是文職，並未直接帶兵親臨城下，皇太后、皇上會不會破格賞賜？這些日子來，曾國藩一直爲此擔心。雖說他一再叮囑自己要以老莊之道養心，把名利看得淡些，但到底不能做到淡忘的地步。

沅甫呢？沅甫又會得個什麼樣的賞賜呢？想過自己，曾國藩又爲他的弟弟著想了。他從心裏對這個弟弟感激不盡。因此甚至對二十多年來，沅甫在京師不歡而別的往事也感到內疚。他責備自己對當時年僅十八九歲的弟弟要求太嚴苛，態度太冷淡了，臨別贈詩，也只說「辰君平正午君奇，屈指老沅眞白眉」，只說他以後會長壽，並沒有說他是奇才，眞正把這個弟弟看輕了！沅甫歷來功名之心甚重，自我企望也很高，倘若這次賞賜比大哥差得太遠，他心裏又會怎樣想呢？以後兄弟情分會不會反而生疏呢？還有沅甫手下這一批驕悍的營官，論功勞都相差無幾，若是恩賞差別過大，彼此不服氣，難保不生意外。還有彭玉麟、楊岳斌，封鎖江面，佔據九洑洲要害，爲攻克金陵立下了汗馬功勞，但他們並沒有直接進城，他們的賞賜又是如何呢？還有在江蘇打仗的李鴻章，在浙江打仗的左宗棠，在江西打仗的沈葆楨，目前正在南下追殺逃兵的鮑超等等，他們或拖住了長毛各路兵力，或一道參與攻城，都爲攻克金陵立下了不可磨滅的戰功，皇太后、皇上又如何獎賞他們呢？這一系列問題，把曾國藩攪得心煩起來，他索性不去想它了，坐在竹床上繼續批閱公文。

「大哥，上諭到了！」曾國藩被一聲高喊驚得抬起頭來，只見曾國荃大步流星走上來，臉上露出異樣的喜悅。後面彭玉麟、楊岳斌、蕭孚泗、劉連捷、朱洪章、彭毓橘等人簇擁著摺差歡天喜地走過來。

「好，好！」曾國藩激動得一時不知說什麼才好，停了好久才起身說，「大家都到大廳裏去，待我換好衣後一起接旨。」

一會兒功夫，曾國藩便換好了朝服，端端正正地面北跪在大廳中間，身後是一大羣文武官員。前面大案桌上香煙繚繞，正中供奉著由兵部六百里加緊遞來的內閣所奉的上諭。曾國藩率領衆人面對上諭行了三跪九拜大禮，然後展開誦讀，大廳裏響起他宏亮的湘鄉官話：

「本日官文、曾國藩由六百里加緊紅旗奏捷，克復金陵省城，逆首自焚，賊黨悉數殲滅，並生擒李秀成、洪仁達等逆一摺，覽奏之餘，實與天下臣民同深嘉悅。」

接下來曾國藩雖仍舊起勁地讀著，但聽者都不在意，因爲它照例是覆述原摺的主要內容，大家注意的焦點是下文。

「欽差大臣協辦大學士兩江總督曾國藩。」這一句提起了衆人的心，上諭的核心到了，「自咸豐三年在湖南首倡團練，創立舟師，與塔齊布、羅澤南等屢建殊功，保全湖南郡縣，克復武漢等城，肅清江西全境。東征以來，由宿松克潛山、太湖，進駐祁門，迭復徽州郡縣，遂撥安慶省城以爲根本，分檄水陸將士，規復下游州郡。茲幸大功告成，逆首誅鋤，實由該大臣籌策無遺，謀勇兼備，知人善任，調度得宜。曾國藩著加恩賞加太子太保銜，錫封一等侯爵，世襲罔替，並賞戴雙眼花翎。」

衆人一齊看著曾國藩，只見他臉色平靜，無任何表情，彷彿上諭嘉獎的是一個與己無關的人，大家不由地佩服他的超人涵養。

「浙江巡撫曾國荃。」大家立即轉向曾國荃。只見他神情悚然，豎耳恭聽。「以諸生從戎，隨同曾國藩剿賊數省，功績頗著。咸豐十年由湘募勇，克復安慶省城，同治元、二年連克巢縣、含山、和州等處，率水陸各營進逼金陵，駐紮雨花台，攻拔僞城，賊衆圍營，苦守數月，奮力擊退。本年正月克復鍾山石壘，遂合江寧之圍。督率將士鏖戰，開挖地道，躬冒矢石半月之久未經撤隊，克復全城，殲除首惡，實屬堅忍耐勞，公忠體國。曾國荃著賞加太子少保銜，錫封一等伯爵，並賞戴雙眼花翎。」衆人艷羡不已，看曾國荃時，他不但面無喜色，反倒露出一副垂頭喪氣的神情，大家都覺詫異不解。

又接下去，曾國藩念道：「記名提督李臣典，著加恩錫封一等子爵，並賞穿黃馬褂，賞戴雙眼花翎。」名列五等爵位，卻無福享受，衆人爲李臣典嘆惜不止。曾國藩又念：蕭孚泗封一等男爵，並賞戴雙眼花翎；朱洪章交軍機處記名，無論提督、總兵缺出盡先提奏，並賞穿黃馬褂，賞給騎都尉世職；劉連捷、彭毓橋等賞加頭品頂戴，並賞給一等輕車都尉世職。接著又念了一長串受賞名單。末了，還特爲命令將李秀成、洪仁達委派要員檻送京師，訊明後依法處治。

跪在大廳中的人都有重賞，唯獨沒有彭玉麟、楊岳斌的，二人心中正疑惑時，曾國藩又展開一道上諭唸道：

「欽差大臣科爾沁博勒噶台親王僧格林沁，已迭次加恩晋封親王，世襲罔替，著加賞一貝勒，令其子布彥訥謨祜受封。欽差大學士湖廣總督官文，加恩錫封一等伯爵，世襲罔替，並加恩將其本支毋庸仍隸內務府旗籍，著抬入正白旗滿洲，賞戴雙眼花翎。江蘇巡撫李鴻章，著加恩錫封一等伯爵，並賞戴雙眼花翎。長江水師提督楊岳斌，加恩賞加一等輕車都尉世職，賞加太子少保銜。兵部右侍郎彭玉麟，著賞加一等輕車都尉世職，並賞加太子少保銜。四川總督駱秉章，著加恩賞給一等輕車都尉世職，並賞戴雙眼花翎。署浙江提督鮑超，著加恩賞給一等輕車都尉世職。西安將軍都興阿、江寧將軍富明阿均著加恩賞給騎都尉世職。閩浙總督署浙江巡撫左宗棠、江西巡撫沈葆楨均俟浙、贛等省軍務平定後再行加恩。」

人人有賞，個個不缺，眞是皇恩浩蕩，普天同慶。當曾國藩把這兩道上諭頌讀完畢後，文武大員共同山呼萬歲，紛紛向曾國藩、曾國荃祝賀，都說兄弟同日封侯伯，不僅本朝絕無，也是曠古奇事！曾國藩也笑容可掬地向各位道賀。正當大廳裏洋溢著彈冠相慶的喜悅時，親兵在門外高喊：「摺差到！」大家正在納悶，摺差已大步踏進來。彭毓橘上前接過，雙手將它安放在案桌上。行過禮後，曾國藩打開黃綾包封，從中取出一份上諭來，衆人一齊低頭聽著：

「浙江巡撫曾國荃六月十六日攻破外城時，不乘勝攻克內城，率部返回孝陵衛大營，指揮失宜，遂使僞忠酋夾帶僞幼主一千餘人，從太平門缺口突出。據浙江方面奏，僞幼主洪福瑱即混雜這股逸賊之中，內中尚有僞乾酋、章酋等巨寇。浙閩贛等處尚有長毛數十萬衆，倘若擁立僞幼主與朝廷對抗，則東南大局，何時可得底定？曾國藩奏洪福瑱積薪自焚，自是聽信謠言。現責令該督追查太平門缺口防守不力人員，嚴加懲處。金陵陷於賊中十餘年，外間傳聞金銀如海，百貨充盈，著曾國藩將金陵城內金銀下落迅速查清，報明戶部，以備撥用。李秀成、洪仁達二犯，著即檻送京師，訊明處決。」

大廳裏一片死寂，鴉雀無聲。曾國荃全身早已濕透，腦袋嗡嗡作響，兩隻手臂僵直撐在花磚上，曾國藩的聲音也明顯地低下來，中間還雜著顫音：「曾國藩以儒臣從戎，歷年最久，戰功最多，自能慎終如始，永保勳名，惟所部諸將，自曾國荃以下，均應由該大臣隨時申儆，勿使驟勝而驕，庶可長承恩眷。」

上諭宣讀完畢，衆人依舊呆呆地跪在那裏，彷彿兩宮太后的訓話雖完，但仍板著冷峻的面孔，森嚴地審視這班戰功赫赫的大臣，並沒有下達起身的命令。

「諸位請起。」曾國藩收好上諭，强打著笑容對大家說，「今天是大喜日子，應當高高興興，明天本督略備薄宴，祝賀諸位榮昇。聖旨英明洞達，望各位切實記住，勿使驟勝而驕，庶可長承恩眷。」

過了好一陣子，曾國荃才帶頭站起，陰森森地走進內室，衆人也興趣頓失，一言不發地各自回營去了。

三　榮封伯爵的次日，曾國荃病了

第二天一早，便傳出曾國荃生病拒絕會客的話，曾國藩聞之大驚，急忙走進弟弟的臥房，果然見他睡在床上。原來，曾國荃聽到上諭指名道姓地斥責他，心中窩了一肚子怨氣，一夜未睡。到了後半夜，竟然渾身起了紅色小斑點，左肩下還長了一個肉包，居然有銅錢大。

「老九，你這是濕毒，不要緊的，」曾國藩安慰道，「前幾個月辛勞過度，日夜守在戰場，毒氣攻心，現在發出來最好。」

「大哥。」曾國荃抓住哥哥的手，手燙得厲害，「帶兵殺敵，攻城掠地，死尚且不怕，還怕癬疥之病嗎？我是心裏難受呀！」

「老九，你心裏哪些事感到難受？」曾國藩慈愛地凝視著弟弟，其實他已知七八分。昨夜，曾國藩也一夜沒睡好，對日裏同時接到的兩道上諭想得很多很深。這些年來，他服膺醜道人的高論，在孔孟程朱之學的基礎上雜用老莊之道，以不求名利來保養恬淡之心，以柔退謙讓來調和上下左右的關係，對於自己封侯、弟弟封伯，已很爲滿足，不敢奢望更高的賞賜，倒是諸如「功高震主」「大功不賞」「兔死狗烹」等歷史教訓時常縈繞腦際。近來，他又把《史記·淮陰侯列傳》《唐書·李德裕傳》《明史·藍玉傳》等翻閱了一遍。歷史上那些慘痛的故事使他心驚肉跳，他告誡自己此時更應百倍謹慎小心，不能授人以柄，可惜九弟和他的部屬們沒有把自己往日的規勸記在心中。金陵之捷並非十全十美，尤其是縱火燒天王宮，將金銀財寶盡數擄掠，日後免不了要遭世間譏劾，難以向朝廷交待。但曾國藩沒有料到，朝廷的指責竟會來得這樣快，措辭竟會這樣嚴厲，這道上諭的背後埋伏著什麼，已經是非常明白的了。

前幾天，歐陽兆熊來了一封信，信上說：「大功成矣，意中事也，而可喜也。顧所以善其後者，於國何如？於民何如？於家何如？於身何如？必籌之已熟，圖之已預矣。竊嘗妄意：閣下所以爲民者，欲以勤儉二字挽回風俗；所以爲家爲身者，欲以退讓二字保全晚節。此誠憂盛危明之定識，持盈保泰之定議也。」這幾句話曾國藩誦讀再三，對老友的關心感激不盡，也決定採納他的建議，以退讓二字保全晚節。心高氣傲、閱世不深的九弟卻並沒有意識到這一點，今天必須向他鄭重指出。

「大哥我曾聽你說過，文宗親口許諾，最先攻下金陵城的封王，皇太后、皇上應當遵循。」

曾國藩心中一驚，這個不識時務的老九，居然還有如此非分的想法！曾國荃見大哥愣住了，知話說得過急，忙補充道：「大哥創建湘軍，運籌帷幄，雖未帶兵親臨金陵，論功勞還是大哥居第一。說封王，是說我和大哥都封王。」

曾國荃這一補充，反而使曾國藩心裏涼了半截，爲弟弟的狂妄無知而難受。他壓住心頭的不悅，仍以慈愛的口吻說：「老九，你這個想法不應該。文宗那句話，是康福在北京聽周荇農說的，是不是眞的還很難說，即使是眞的，那也是文宗的一時興起，當不得眞的，你爲此難受太不應該了。」

「就如大哥所說，不封王，難道不可以封公爵嗎？就是不封公，我也應當封侯呀！大哥封侯理所當然，我不是要和大哥搶這個侯爵。皇太后爲何這等小氣，捨不得封兩個侯呢？」

「小聲點，說話要有分寸。」曾國藩見弟弟居然指責起皇太后來，未免太放肆了，便正色道，「須知隔牆有耳。」

「攻打金陵是何等的艱苦，我敢說，隨便換另外哪個人都不可能拿下！」曾國荃既感委屈又很自負。

「老九，」曾國藩嚴肅地說，「那天在席上我跟你們說過，古往今來，凡辦大事，半由人力半由天命。攻克金陵這樣一樁震鑠古今的大事業，豈能全由人力？你縱然本事大，也要讓一半與天才是。」

「官文坐在武昌安富尊榮，封伯爵，李鴻章只收復蘇、常，也封伯爵，這個伯爵太不值錢了嘛！」曾國荃不理會大哥的苦心，依舊高喉大嗓地發洩憤恨。

「官中堂統轄兩湖，爲湘軍籌餉補員，功勞甚偉。李少荃在蘇南迭克名城，保全上海，使金陵賊匪進無援兵，退無竄路。兩人封伯爵，亦無可厚非。」對弟弟的牢騷，曾國藩也有同感，但此時不能附和他，否則將火上加油。

「這些都不去談它罷！」曾國荃霍地從床上坐起來，眼中射出咄咄逼人的光芒，「金陵只逃出一千多號長毛，就要嚴加懲辦。杭州城破時，僞聽王陳炳文帶著十多萬長毛全數衝出，左宗棠如何不受指責？上諭說據浙江方面奏，顯然是左宗棠在進讒言。這左三矮子不是個好東西！」曾國荃氣得罵起來。

說洪福瑱積薪自焚，是曾國藩據曾國荃信上的話上奏朝廷的，左宗棠借幼主出逃大做文章，明裏攻擊曾國荃，暗裏攻訐曾國藩。這件事使曾國藩對左宗棠最爲惱火。他對這個相交三十年的老朋友，在這樣的大事上不留情面甚是不解。是因爲自己亦位居總督，眼裏沒有他曾國藩呢？還是對他兄弟成了攻克金陵首功人員嫉妒呢？還是朝中有人授意左上這樣的摺子呢？不管怎樣，在這種時候左宗棠上此絕情絕義的摺子，兩人三十年的友誼到此地就止步了。曾國藩微微點點頭說：「老九，你也不必爲此事難受了，左宗棠那人你也知道，過這幾天大哥再給皇上上個摺子，爲你說話。」

「還有。」曾國荃說出心中的積憤後覺得舒服了點，「皇上要檻送李秀成、洪仁達進京，兩犯早已成鬼了，這事如何辦？」

「這個也由我去向皇上說清楚。」曾國藩安慰弟弟，心裏卻想：那天拍胸脯的氣概到哪裏去了！

「李秀成的事還好說，問題是銀子，皇上要追查金陵城裏的銀子呀！」曾國荃壓低了聲音，「大哥，實話對你說吧，金陵城裏的金銀珠寶，再加上年輕的女人，都變成了湘軍將官的財產，現在正一船一船地往湖南運哩！連我也有幾十萬。倘若按皇上的諭旨，再將金銀從他們的腰包裏掏出來，那金陵城就會鬧翻天，我也壓不了。」

曾國藩面無表情地聽著，這些事他早已看得很清楚，一點都不感到意外。但這的確是一件棘手的事。這些首功將官們自恃功大，要價很高，朝廷的封賞既不能全部滿足他們的慾望，又只是空銜而無實惠，現在要把他們圍攻兩三年，自以爲靠性命換來的財產再掏出來，這無異於挖他們的心肝。眞的鬧起事來，後果不堪設想。「老九，你要說服他們顧全大局，不管多少都要拿出一些，一則好向朝廷交待，二則也要堵塞天下悠悠之口。」

「殺人放火，我可以指揮他們幹，要他們拿出自己的性命錢，我做不到。況且我也不幹，我的銀子就已經運走了。」

「九帥，你一碗水沒有端平！」

曾國荃正要說下去，門口突然傳進一聲雷似的吼叫，只見煥字營營官朱洪章喝得醉醺醺地滿口吐著白沫，兩眼紅通通地睜得如銅鈴般大，跌跌撞撞地衝了進來，後面跟著幾個親兵。

「煥文！」曾國藩拉長著臉，十分不快地對朱洪章說，「你看你醉成什麼樣子！」

「中堂大人。」朱洪章這時才發覺曾國藩也在，頓時清醒了點，「第一個衝進城的，不是李臣典，而是我朱某人！」

「這話怎講？」曾國藩感到奇怪，都說康福死後，李臣典是第一個衝進金陵城的，如何又變成了朱洪章？

「中堂大人。」朱洪章用手抹去嘴邊的白沫，兩腳也站直了些，以略爲恭順的態度說，「六月十六日上午，龍子脖地道第二次挖成，點火前，九帥集合各營營官，議決誰爲攻城先鋒，大家都畏葸不敢領命，是我出隊領下了先鋒之命，並立了軍令狀，這事九帥應該還記得。後來我率煥字營一千五百兄弟從城牆缺口衝入，第一個進了金陵，九帥還稱讚我有能耐。」

「照這樣說，應當是煥文第一個進城了。」曾國藩問弟弟。

「是的。」曾國荃點頭。

「那又爲何是李臣典呢？」曾國藩大惑不解。

「中堂大人，事情是這樣的。」朱洪章搶著說，「龍子脖地道是信字營挖的，李臣典雖未第一個進城，但卻是最先打到天王宮，說李臣典是第一號功臣，我並沒有意見，但現在蕭孚泗倒排在我的前面，搶得了男爵，這能使我服氣嗎？娘的，攻城時他向後退，領賞時他往前衝，他聰明，老子是蠢崽。」朱洪章又噴出白沫來，他死命地吐了一口痰，憤憤不平地嚷道，「九帥，你這樣壓我，難道因爲我朱洪章是貴州人，不是湘鄉人嗎？」

「朱洪章，你在放狗屁！」曾國荃猛地從床上跳起，「哪個因你不是湘鄉人壓了你，我是把你列在蕭孚泗前面的。」

「那又是誰把我的名字排到後頭去了呢？這個狗養的，害得我得不到爵位。」朱洪章大叫起來，氣焰更足了。

「明告訴你吧！那是中堂大人手下起草摺子的彭壽頤改動的。」曾國荃說著，順手將桌上一把腰刀甩到朱洪章的腳邊。腰刀與磚相碰，發出刺耳的撞擊聲，「你用這把腰刀把他殺了吧！」

朱洪章被這個突如其來的舉動弄得不知所措，一時呆住了。

「你去殺呀！」曾國荃衝到朱洪章面前，像一頭狂怒的餓虎，要把朱洪章一口吞下，「還站在這裏幹什麼？不敢殺，你就給老子滾出去，狗雜種！」曾國荃的暴怒把朱洪章的氣焰壓了下去。他聳拉著腦袋，嘴裏嘟嘟嚷嚷地出了門。

「大哥，你看看，就是這班人進了城！」望著朱洪章的背影，曾國荃氣仍未消，「若不是剛才這一手，他幾乎要坐到我和大哥的頭上拉屎拉尿了。只有一個朱洪章還好對付，若是朝廷真的要追查金銀，那就會有成千上萬個朱洪章跳出來，你看怎麼辦？」

這個意外的插曲使得曾國藩又驚又惱。「湘軍已經腐敗了。」他在心裏得出了結論。

「大哥。」曾國荃小聲而神祕地呼喚，曾國藩覺得有點異樣，「依我看，新的大亂就要到來，我們得先下手爲强。」

「你說什麼?」新侯爵已覺察到新伯爵的反常。

「我們學他。」曾國荃伸出左手掌，右手在掌心上劃出了一個字來。曾國藩順著他的手勢看著看著，不覺屏息靜氣，最後緊張得連大氣都不敢出一口。

四　倚天照海花無數，流水高山心自知

原來，曾國荃在掌心上劃出的是一個「趙」字。毫無疑問，這指的是陳橋兵變黃袍加身的宋朝開國皇帝趙匡胤。

「沅甫，你瘋了!」曾國藩冷冷地看著因情緒激昂而紅了臉的弟弟，生氣地說。

「大哥。」曾國荃壓低聲音，焦急地說，「這樁事，打下安慶後我就想過了。我也曉得潤芝、雪琴以及左宗棠都旁敲側擊試探過你，大哥那時不同意是對的，因爲時機不到，而現在時機到了。吉字大營攻下長毛盤踞十多年的老巢，軍威無敵於天下，所有八旗、綠營都不是我們的對手。現在朝廷要追查金銀下落，吉字營上下怨聲載道，正是我們利用的好時候。吉字大營五萬，雪琴、厚庵水師兩萬，還有鮑春霆的兩萬，張運蘭、蕭啓江的三萬，這十二萬人是大哥的心

腹力量，再加上李少荃的淮軍，只要大哥登台一呼，大家都會死心塌地跟著幹。左宗棠要是不從，就幹掉他！大哥，你把這支人馬交給我，不出兩年，我保證叫天下所有的人都向大哥拱手稱臣。」曾國荃越說越得意忘形，曾國藩越聽臉色越陰沈。曾國荃心想，大哥素來謹愼，這樣的大事，他怎會輕易作出決定，不做聲，便是在心中盤算。他進一步撩撥，「大哥，大清立國以來，只有吳三桂、耿精忠幾個漢人手裏有過軍隊，這些軍隊一直是朝廷的眼中釘。後人都說吳三桂不安分造反，其實他們哪裏知道，那是朝廷逼出來的。」

曾國藩心裏猛一驚，覺得弟弟的話有道理，過去自己也是指責吳三桂的。也可能事實眞的如沅甫所言，吳三桂造反是逼出來的。

「朝廷也在逼我們了。」曾國荃氣得咬牙切齒，「走了一千多號人，與打下金陵相比算得了什麼？如此聲色俱厲地訓斥，居心何在？口口聲聲追查長毛金銀的下落，無非是說我們私吞了，好爲將來抄家張本。大哥，這十二萬湘軍在你的手裏，朝廷是食不知味、寢不安神呀！飛鳥盡，良弓藏，狡兔死，走狗烹，想不到今日輪到我們兄弟了。」曾國荃長嘆一聲粗氣後，惡狠狠地對著曾國藩說，「大哥，我們這是何苦來！百戰沙場，九死一生，難道就是要做別人砧板上的魚肉嗎？盛四昨日對我講，家裏起新屋上大樑時，木匠都在唱：兩江總督太細哩，要到北京做皇帝。又說當年太公夢的是不蟒蛇，而是一條龍，因怕官府追查，才謊說是蟒蛇。大哥。」曾國荃扯著曾國藩的衣袖口，緊張得說不出話來，好一會才慢慢地吐出，「滿人氣數已盡，你才是眞正的眞龍天子呀！」

曾國藩坐在對面，聽著弟弟這一番令人毛骨悚然的心裏話，彷彿覺得陰風陣陣，渾身發冷。他突然意識到不能讓他無休止地說下去，這裏面只要有一句話被人告發，就可能立即招來滅族慘禍。此時自己已被攪得心煩意亂，難以說服他。辦法只有一個，便是馬上離開。

「老九，你今天情緒有點失常，可能是濕毒引起心裏煩燥的緣故。你靜下心來，好好躺著，我叫人來給你看看病。」說罷，不等曾國荃回答，便匆匆地走了。

回到房裏，第一件事就是要荊七把盛四叫來。「盛四。」問明屬實後，曾國藩氣極了，「你也是三十多歲的人了，怎麼這樣蠢；這種話也是隨便能說的？假若你不是我的親外甥，我今天就一刀殺了你！」盛四一聽，嚇得忙跪在大舅的腳下叩頭不止。「你明天一早就回荷葉塘去，警告那些胡說八道的人，若哪個敢再說半句做皇帝、眞龍天子的話，就要四爺割他的舌頭，聽明白了嗎？」

打發了盛四後，曾國藩才略爲定了定神。他燃起一支安魂香，盤腿坐在床上，將這兩天來發生的一切細細地深深地思考著。老九的分析，絕大部分都是對的，但要自己做趙匡胤，卻萬萬不能接受。這種話，曾國藩已經是第五次聽到了。第一次出自王闓運之口，他爲之心跳血湧。第二次是彭胡左等人的側面試探，他置之不理。第三次是王闓運爲肅順當說客，他視之爲狂妄。第四次是王韜的無知妄言，他不客氣地加以訓斥。難道這一次就如沅甫所說的時機成熟了嗎？曾國藩嘴角邊露出一絲冷笑。時機，對於他來說，這一輩子都沒有成熟的可能性。這一點，他比所有勸他問鼎的人都清醒得多。如果說，朝廷對於長毛的起事，對於吏治的腐敗，對於民生的凋蔽，對於洋人的欺凌，都是軟弱無能、束手無策的話，對漢人的防範，尤其是對握有重兵的漢人的防範，卻是老謀深算、戒備森嚴的。咸豐帝詢問王世全贈劍事，衡州出兵前夕降二級處分，剛任命署鄂撫又急忙撤銷，德音杭布由盛京派到軍營，多隆阿從金陵來到武昌，這一件件一樁樁往事，刻在曾國藩的腦海深處，並時常冒出來，刺痛他的心。眼下雖然湘軍兵力在蘇、浙、贛、皖南等處佔著絕對優勢，但官文、馮子材、都興阿等環伺四周，尤其是僧格林沁的蒙古鐵騎虎視眈眈。所有這一切，似乎早就爲著防備湘軍而部署的，只等湘軍一有反叛端倪，便會四面包圍。還有左宗棠、沈葆楨，位列督撫，戰功赫赫，對曾國藩的不滿情緒早已暴露，而朝廷竭力籠絡，有意擴大內部裂縫，從而達到分化的目的。可以說，從曾國藩手中掌握幾千團勇的那天起，朝廷便對他存有相當大的戒備之心，到現在不但沒有減弱，反而隨著他的名聲和功勞的隆盛而加强。

倘若與朝廷分庭抗禮，第一個站出來堅決反對的便是湘軍內部的人，而這人一定便是目空一切、睥睨天下的左宗棠。曾國藩心想，老九太簡單了，論打仗，不但老九比不上他，眼下海內將才，沒有一個人是他的對手。到那時，左宗棠處極有利之形勢，集全國之糧餉兵力，消滅曾氏家族的湘軍，要比打敗長毛容易得多。

一枝香燃完了，曾國藩下床來活動一下酸脹的雙腿，又點燃一枝，重又盤腿坐到床上，繼續著剛才的思索。

即使僥倖黃袍在身上穿穩了，這個心高氣傲、倔强狠惡的老九，既然可以把黃袍披在自己的肩上，就可以隨時把黃袍取走。斧聲燭影，千古之謎，老九不就是趙光義嗎？一向對兄弟知之甚深的曾家老大，有一百個把握相信自己的判斷不會錯。曾國藩上下兩排牙齒在嘴裏左右錯動，發出一陣陣輕微的摩擦聲，兩腮時緊時鬆，雙目木然冷漠。讓我背上個亂臣賊子的千古罵名，他卻輕輕鬆鬆地子孫相傳，穩坐江山，老九的算盤撥得太精了。如同安魂香的輕煙裊裊直上，越來越淡，直到淡得沒有了，曾國藩對弟弟也越來越看清楚了，直到看穿他的五臟六腑、靈府深處。

是的，曾國藩不能做董卓、曹操、王莽、趙匡胤那樣無父無君、犯上作亂的叛臣賊子。三十年前，他還只是荷葉塘鄉下一個農家子弟，卑微得像路邊一根草，低賤得像桌下一條狗，如今貴爲甲侯，權綰兩江，聲動四海，名重五岳，還不都是出自天恩，源於皇家嗎？借助它給自己的一切，又來背叛它，反對它，良心何在？失敗了，固然理所當然地要遺臭萬年，豬狗不如；就算成功了，過去自己所說的那些忠誠敬上之類的話，不都是欺天瞞地的謊言假話？那些告誡子弟的諄諄家教，不都會成爲後世訓子的反面教材嗎？一生抱負，千秋名節，都絕對不容許他曾國藩有絲毫不臣之念！

還有，金陵已攻下，舉國都盼望早息戰火，鑄劍爲鋤，若自己再樹起反旗，豈不又把千千萬萬的人重新拖入血火之中？出於一個儒家信徒的良知，曾國藩也不願意這樣做。

筆直上升的煙柱忽地斷掉，第二枝香也已燃完，要細心思考的問題太多了，曾國藩下得床來，又點上一枝。既然不按沅甫說的辦，就必須更加事事小心謹慎，務必取得朝廷的充分信賴。曾國藩想，最使朝廷放心不下的，便是手下這十多萬水陸湘軍。數百個軍營皆係將官私募，三千里長江無一船不掛曾字旗，這在本朝是從來沒有過的事，怎不令太后、皇上心神不安？臥榻之側，豈容旁人安睡？哪朝哪代的君王不是如此！況且進城後湘軍的表現，也足使曾國藩失望了。這樣的軍隊，即使不撤，也不能打仗了。不如裁去五萬八萬，既令朝廷放心，也甩掉一個沉重的包袱。

再一個就是停解厘金。厘金一事最失人心，苦了億萬百姓，肥了數千局吏。現在金陵已經攻下，若再照解厘金，必然招致民怨沸騰，得罪地方。第一個先撤的是湖南東征局！作出這兩個決定後，曾國藩的心頭略覺寬鬆。他剛走下床，又想起一件大事：今年是鄉試正科，要立即把貢院修復，務必趕上今科鄉試。

清初時設江南省，包括安徽、江蘇兩地，康熙六年這兩地分爲兩省，但鄉試設有分闈，一直在一起，故錄取名額較他省都多，又因人文薈萃，英傑輩出，一甲三鼎中數江南舉子最多，故江南鄉試，歷來爲天下注目。自從金陵落入太平軍之手後，江南鄉試已中斷十多年了，這中間僅咸豐九年在杭州借闈開科一次，又因錄取名額不足，失去了會試的機會。收復安慶後，曾國藩曾準備在安慶設一考棚，將安徽與江蘇分開，先在安慶單行鄉試，但後因皖北不靖、士子不齊而未果。那些急於仕進的江南讀書子弟，眼巴巴地看著別省開科取士，新舉人們肥馬輕裘，自己滿腹經綸而無法展示，心中躁急得不得了，早就盼望恢復江南鄉試了。此事一公開，不知有多少人歡喜雀躍，破涕開顏！

如果說第一件事足以消除朝廷的戒備，第二件可堵天下百姓的口舌，那麼這件事更是深得全國士子之心！曾國藩想到這裏，終於擺脫了壓得透不過氣來的負擔，心情鬆快多了。

「大人，蕭軍門帶著三十多位將領前來叩見，說有要事稟告。」荊七推門進來，說完後垂手站在一旁。

他們來幹什麼？曾國藩坐在椅子上，心裏思考著，一隻手慢慢地梳理鬍鬚。上上下下地梳理幾遍後，臉上露出一絲淡笑。

「更衣！」曾國藩起身，荊七隨即捧來了朝服。除開跪接聖旨、重要會議及朔望朝賀外，曾國藩接見部屬時通常只著便服：冬天是一件黑布棉袍，外罩一件醬色馬褂，從不用皮貨，更沒有貂、狐、猞猁等珍貴皮袍。那年打下田家鎮，咸豐帝賞賜了一件狐腿馬褂，他只試穿了一下，表示對聖恩的祗受，第二天便派人送回荷葉塘珍藏起來。夏天永遠是玄色或灰白色布長衫，也不穿絲綢衣褲。今天曾國藩一反常態，大熱天氣穿上嚴嚴實實的朝服，威嚴莊重地端坐在虎皮大帥椅上，兩眼如電光般平視前方。蕭孚泗等人見此情景，心裏先就有三分怯了。

「諸位找我有何貴幹？」濃重的湘鄉官話寬厚宏亮，在大廳裏迴響。

蕭孚泗、朱洪章、劉連捷、彭毓橋、朱品隆等人坐在那裏，你看著我，我看著你。誰也不敢先開口。蕭孚泗輕輕地推了一下彭毓橋，小聲說：「你是中堂的老表，你說吧！」彭毓橋見眾人都拿眼睛望著他，分明也是推他出頭的樣子。他想，看來義不容辭了，便正了正衣冠，站起來說：「中堂大人，眾位將軍在營房裏議論，說朝廷硬逼我們交銀子，其實又沒有，都不知如何辦才是，特來請示大人。」說完，偷偷地望了曾國藩一眼。只見曾國藩兩隻榛色眸子正凝視著自己，就像兩把尖刀向心臟刺來。彭毓橋一陣恐懼，忙坐下來，心不停地跳。

「彭毓橋！」

彭毓橋見曾國藩叫他，下意識地站起來。

「你是怎麼想的呢？」彭毓橋一時答不上來，四下望著眾人，劉連捷對他努努嘴，示意他大膽說。

「大人，金陵城裏的確沒有金銀，眾位將軍從哪裏找得來？都想請大人給皇太后、皇上上個摺子，免了這樁事算了。我也是這樣想的。」彭毓橋鼓起勇氣說完這番話後，覺得兩腿發軟，迫不及待地坐下來。

「都說金陵是長毛的小天堂，金銀如海，財貨如山，你們說什麼都沒有，皇太后、皇上會相信嗎？」曾國藩仍舊梳理他的髯鬚，語氣平緩。

「沒有就沒有，又變不出的！」劉連捷嘟嘟囔囔地說。

「莫把我們逼急了，狗急了還要跳牆哩！」朱洪章見曾國藩不作聲，話說得放肆了些。

「中堂大人！」蕭孚泗站起來大聲說。「他已經偷運兩船財貨回湘鄉老家去了，倘若朝廷認眞追查，不但這兩船財貨得不到，恐怕爵位也會註銷，他因此很著急，「據說富明阿奉僧王之命，過些日子就要到金陵來了，我們不能等著他胡來。」

「你說怎麼辦？」江寧將軍富明阿將來金陵視察滿城，此事曾國藩已有所風聞，也在擔心。他問蕭孚泗。

「封鎖十三門，不讓他進來！」蕭孚泗嚷起來。

「富明阿來金陵視察滿城，你不讓他進來，抗拒朝廷，豈不形同叛逆嗎？」曾國藩依舊平和地問。

「叛逆就叛逆！」彭毓橘見曾國藩一直沒有斥責他們，以爲他心裏支持，膽子大了，「大人，先下手爲强，後下手遭殃，自古如此。無賴賭徒趙匡胤都能黃袍登基，大人功德巍巍，天下歸心，何不趁此機會，光復漢家河山！」

「放肆！」曾國藩氣得猛力拍打桌面，大喊，「來人啦，給我把這個膽大包天的亂臣賊子抓起來！」

立時出來兩個親兵，彭毓橋昂首站起，讓親兵捆綁，不爭辯也不反抗。蕭孚泗用眼睛瞟了一下眾人，然後站起來，走到曾國藩座前，雙膝跪下，同來的其他將官也學樣跪下，一齊高喊：「請大人寬恕！」

「請九帥！」曾國藩大聲發令。一會兒，曾國荃匆匆趕來，見此情景大吃一驚，忙垂手站在大哥身旁問：「杏南犯了何罪？」

「沅甫，彭毓橋口出狂言，無父無君，你說該如何處置？」

「大哥！」曾國荃抬頭望了一眼彭毓橋，氣勢雄壯地說，「不要怪杏南，也不要怪諸位兄弟，都是我叫他們幹的。大哥……」

「不要說了！」曾國藩憤怒地揮手制止，「荊七，紙筆伺候！」

王荊七一手拿著筆硯，一手拿著一疊白紙出來。

「不對，換大筆，大紅硾箋！」

荊七進屋後再次出來了。曾國藩望著展開在桌面上的紅底撒金雲紋硾箋，凝神良久，然後揮筆寫下一副聯語。寫完後把筆往硯台上一扔，目光威利地向眾人環視一周，頭也不回地轉身走了。

曾國荃等人呆呆地或站或跪，直到聽不見腳步聲，才紛紛走到案桌邊，只見硾箋上寫的是：「倚天照海花無數，流水高山心自知。」眾人有的嘆息，有的咋舌，有的感動，有的木然，有的細細品味而頻頻頷首，有的發出冷笑而搖頭不止。曾國荃先是忿然，繼則凜然，終於頹然地吩咐親兵：「放掉彭藩台。」然後冷冷地對眾人說：「今天的事誰也不准說出去，倘若哪個走漏了半點風聲，九爺的刀要借他的血來磨洗！」

五　匕首和珊瑚樹打發了富明阿

富明阿說到就到了。原來，僧格林沁對曾國藩奏報已就地處決李秀成、洪仁達和金陵城裏無金銀兩件事甚為懷疑。他認為這是曾國藩在欺蒙朝廷，很有可能根本就沒有抓到李秀成，而金陵城裏的財產是絕對被他們兄弟及湘軍官勇們私吞了。他要富明阿借查看江寧滿城破毀情形為由，將這兩件事查個水落石出，狠狠地壓一下曾氏兄弟和湘軍的氣焰，為滿蒙旗兵出一口無名怨氣。

關於李秀成之事，曾國藩不在意。李秀成在押達二十天之久，見者甚多，還有洋人戈登可以作證。臨刑那天，沿途觀者亦在萬人以上，況且還有他寫的親筆供詞。不怕富明阿再刁，這個事實他否定不了，而金陵城裏的財產一事，十之八九會出紕漏。

「不怕他，一個小小的富明阿算得什麼！還不是狗仗人勢，靠僧格林沁的勢力。」曾國荃一副滿不在乎的神態。「金陵城是吉字營的天下，豈容得他在這裏興風作浪。明天大哥到下關碼頭去接他，就說我臥病在床，不克親迎，後天在僞侍王府裏設宴爲他洗塵。那時我給他點顏色看看。」

「老九，富明阿雖只一個江寧將軍，但他可以通天，對他萬萬不可小覷。」曾國藩擔心弟弟會魯莽壞事。

「大哥請放心，我要叫他高高興興離開金陵，安安穩穩平息這場風波。」有了這句話，曾國藩放心了。

第二天，曾國藩帶著李秀成的親筆供詞，登上富明阿泊在下關江面的大船。富明阿將李秀成的供詞翻了翻，曾國藩又把處決李秀成、洪仁達時的場面說了說，特地把戈登抬了出來，果然富明阿對抓獲李秀成一事不再有懷疑。曾國藩和富明阿一起上岸，親自陪著他查看了位於城東的滿城。這裏原本是前明故宮，後作為江寧旗兵的駐防地，經過這次血戰，滿城已蕩然無存。曾國藩爽快地許諾富明阿，立刻撥巨款，先修復江寧滿城，次修繕京口旗營，待房屋蓋好後，再奏請朝廷從京師旗兵中調撥人員來，務必要恢復昔日舊制。富明阿對此甚為滿意。次日晚上，曾國荃在原侍王府裏設宴款待，富明阿欣然出席。

傍晚，富明阿穿上耀眼的麒麟補子袍褂，騎一匹高大的蒙古馬，帶著幾個戈什哈，神氣十足地來到原侍王府。但見門外冷冷清清，三扇大門關得緊緊的，沒有一絲接待貴客的跡象。富明阿心中奇怪。戈什哈不客氣地用拳頭捶打大門，半天後才見一個老眼昏花的門房出來，穿著一件補丁疊補丁的粗布衣，又髒又黑，彷彿幾十年沒洗過一樣。

「富將軍來了，你們如何這般怠慢？」戈什哈不滿地訓斥著。老門房臉上笑嘻嘻地，並不生氣。戈什哈知他沒聽清，又說了一遍。「總爺，請你再大聲說一遍。」戈什哈不耐煩地又說了一遍。

「啊呀，是富大人來了，我全不記得九爺今晚請客這事了，眞該死。」老門房恍然大悟。一口濃重的湘鄉土話，自小在北京長大的富明阿幾乎沒有聽懂一個字。接著忙跑進去通報，一會兒中門大開，曾國荃帶著幾個人在門後出現：「富將軍，得罪，得罪！門房誤事，我已罵了他一頓。」

「九帥客氣。」富明阿雙手抱拳，面色不甚歡悅。

二人併肩進了大廳，分賓主坐下。曾國荃又道歉：「門房糊塗，多多失禮。」

「九帥，我看你這門房也是該換一個了。」富明阿鄭重建議。

「是呀，不過別的事他又幹不了。」曾國荃表示出一種很大的遺憾。

「貴府何必要這種人呢？打發他兩個錢，開除了事。」富明阿奇怪，一座金陵城都打下了，一個老門房卻處置不了。

「富將軍說得好輕巧！」曾國荃靠在椅背上，臉色黑而憔悴。「他從荷葉塘鄉下帶著兩個兒子跑來投奔吉字營，跟著我先後打了幾百仗，大大小小的戰功可以堆滿一屋子，積功保至副將銜。打安慶時炮火震聾了耳朵，打金陵時，石頭砸斷了三根肋骨。兩個兒子，一個死在吉安，一個死在巢縣。這樣的有功之人，我能隨師開除他嗎？再說，他從把總保起，一直保到副將，沒有多拿一個銅板，他的俸祿要全部算給他，總在四五千兩銀子以上，我哪裏拿得出？故而明知他幹不了事，也只能養著他。」

富明阿聽了這番話，心裏不是滋味，嘴裏含含糊糊地應付：「是這樣的話，倒也不能隨便開除。」

一個親兵上前，附著曾國荃耳邊說了兩句話。曾國荃站起來，伸手做了一個請的姿勢，對富明阿說：「富將軍請，西花廳的宴席已擺好了。」

富明阿在曾國荃的引導下來到西花廳。只見廳裏已擺好了十桌酒席，主席上空了兩個座位，另外九席都已坐滿了人，見他們來，便一齊起立。曾國荃笑容滿面地向富明阿介紹：「這些都是攻打金陵城的有功將官，有幸陪同將軍，是他們的光榮。」

富明阿笑著向站起的人打招呼，請他們坐下。見這些人個個臉上傻笑著，身上穿著陳舊不堪的衣服，大部分人的腳上套著草鞋，就像長途行軍途中臨時將他們召來開軍事會一樣，富明阿心想：這樣一羣土頭土腦的鄉巴佬，也是打金陵的首功將領？曾國荃請富明阿在主賓席上就坐。富明阿見桌上擺的全是粗瓷泥碗，裏面盛的也是普通家常菜，並無半點山珍海味，不覺食慾大減。曾國荃剛舉起酒杯，說聲「請」，那九桌上的陪客便迫不及待地大吃大喝起來，彷彿餓了幾天一樣。富明阿勉強舉起酒杯吮了一口，意外地發覺這杯中的酒倒是異常的清洌醇香，喝下去滿腹舒暢，不禁脫口稱讚：「好酒，九帥，你這酒是哪裏來的？」

「這酒可不比尋常。」曾國荃微笑著，眼裏藏著詭譎神祕的色彩。「外間都說長毛天王宮裏堆著無數金銀財寶，其實什麼都沒有。但要說一點財富沒得，倒也不是事實，我們也得到了兩件寶貝。」富明阿的眼睛睜大了，露出極有興趣的光彩。「頭件寶貝便是一大罎子酒。」

「看來我喝的酒便是這個罎子裏面的了。」富明阿笑著說。

「正是。將軍可知這酒的來歷？」

富明阿搖搖頭。

「剛得到這罎酒時，大家都不知道他的貴重，打開罎子後，屋子裏立刻充滿了異香。李臣典命令趕緊把蓋子蓋好，誰也不准動。後來問了在洪酋身邊十多年的黃三妹，才知酒的來歷。」曾國荃神采飛揚地說到這裏，忽地停住了，端起酒杯來，淺淺地喝了一口，細細地品味。富明阿也照樣品了一口，眼睛望著曾國荃，示意他快點說。「原來，長毛初進金陵，在營造僞天王宮時，挖出了十罎酒，每罎酒上都加了一道封條，上書『弘光元年』四字。」

「這罎酒在土裏埋了兩百多年！」富明阿驚訝起來。

「洪酋最愛美酒，便把這十罎酒全部據爲己有，十罎喝去九罎，這是最後一罎了。」

「啊，怪不得酒味如此醇厚！」富明阿感嘆。

「原本想封存獻給皇上，今日見富將軍來，乾脆打開喝完算了。」曾國荃爽朗一笑。其他九席上的人高喊：「我們都托富將軍的福！」

富明阿十分高興，剛進府門時的不快和粗瓷泥碗引起的不悅，給這壜美酒全沖走了。他喜孜孜地舉起酒杯，高聲說：「本將軍沾了各位攻克金陵的光，能飲此美酒，眞是生平一大快事！」

十桌酒席上的人一齊開懷大笑，豪飲猛嚼起來。富明阿笑著問曾國荃：「兩件寶貝，九帥只說了一件，還有一件呢？」

「還有一件嘛，」曾國荃賣著關子，「吃完飯再說吧。來，先乾了這一杯！」

兩人舉起酒杯碰得「哐啷」作響，一口喝了個底朝天。酒至半酣，彭毓橘離席來到富明阿跟前，鞠了一躬說，說：「軍中無樂伎，不能爲將軍助興，在坐的多爲武夫，也不會行酒令，末將且爲將軍打一通拳，供將軍一笑吧！」

「富明阿快樂地說：「好！打拳舞劍是軍人的本色。彭將軍，鄙人要看看你的眞本領！」

「末將獻醜了！」彭毓橘在大廳中間擺開一個架式，手脚活動了幾下，便在衆人面前翻滚跳躍起來，時而金雞獨立，時而靈猿攀樹，時而大海探珠，時而深山擒虎。打得興起，他乾脆脫掉上衣，露出一身墨牡丹刺繡來。

「好！」「好！」大廳一片喝采。富明阿端起一杯酒，離席走到彭毓橘身邊，笑吟吟地說：「將軍拳術高超，鄙人大飽眼福，我敬將軍這杯酒，」彭毓橘接過酒杯，二話不說，一飲而盡。

「杏南兄，一人打拳太孤單了，我跟你來個對打吧！」

「好！」滿廳又是一片喝采。劉連捷也脫去衣服，露出雪白一身肉來，與彭毓橘面對面地打了起來。劉連捷習的是巫家拳，柔中藏剛，棉裏裹金，與彭毓橘的北拳恰成對比。二人在廳中一剛一柔，一攻一守，都拿出全身本事，互不相讓。突然，彭毓橘腳跟一晃，朝天倒在地上，只見臉色慘白，口吐白沫，衆人都感到意外。劉連捷正要彎腰去扶起他，猛然間彭毓橘飛起一腳，正踢在劉連捷的胸口上。劉連捷雙手捧住胸口倒在地上，半晌不省人事。衆人見二人打得認眞起來，紛紛站起，有的說：「算了，莫打了，原是打著玩的，怎麼能出毒手呢？」一會兒，劉連捷從地上爬起，發瘋似地衝向彭毓橘，雙手緊抱他的腰，兩排鐵鋸似的牙齒在他肩上狠命咬起來，痛得彭毓橘哇哇直叫。

「啪！」曾國荃一手打在桌子上，杯盤震得跳了起來：「混帳，你們要在富將軍面前丟臉嗎？都給我住手！」

彭、劉二人立時鬆了手。

「九帥，劉連捷不是人，他踢我的下身。」彭毓橋說著，用手捂住下身，廳裏一片哄堂大笑，富明阿笑得酒都噴了出來。曾國荃止住笑，問劉連捷：「你爲何下此毒手？」

「我要教訓教訓他！」劉連捷傲氣地說，「他四處造謠，惡毒攻擊我，說我在天王宮撿了一顆珍珠沒有上繳。其實，自從進城到今天，我連珍珠的影子都沒見到。」

「杏南，你爲何要誣蔑南雲？」曾國荃厲聲問彭毓橋。

「九帥！」彭毓橋叫道，「是他先誣蔑我，說我在天王宮裏拾到一個二兩重的金元寶。眞他媽的血口噴人，老子至今沒有見到過一錢金子。」

「啪！」曾國荃又是一掌打在桌子上，把身旁的富明阿嚇了一跳，「都是你們這班下作東西在互相造謠攻擊，怪不得外間傳說紛紛，都說金陵城裏的金銀珠寶都被我吉字營吞了。諸位，現在富明阿將軍在這裏，你們都當著富將軍的面，坦白你們各人到底得了多少金銀！」

「我一兩銀子都沒撿到！」

「哪個私藏金子不是人是畜牲！」

「哪個看到珠寶眼爛瞎！」

「哪個摸過珍寶手爛斷！」

吉字營的近百名營官們，帶著八分酒醉，東倒西歪地大聲吵嚷，廳裏亂成一片。

「各位都不要吵啦！富將軍也知道你們攻城辛苦，並沒有得到一絲分外之財，這都是彭毓橘、劉連捷兩個王八蛋自己在罵自己，害得大家都擔了惡名，來人呀！」曾國荃扯起嗓門大叫，「給我把這兩個狗雜種推出去殺了！」

衆人都驚呆了。富明阿忙說：「九帥，不必如此，不必如此！」蕭孚泗等人也一齊喊：「九帥息怒！」

「好吧，看在富將軍的面子上暫時饒了你們的小命。」曾國荃回頭對身旁的親兵命令，「拿兩把匕首，牽兩條狗出來！」

衆人都不解，這個殺人不眨眼的九帥要玩出什麼樣新花招來。匕首和狗都到了。曾國荃站起來大聲宣布：「彭毓橘、劉連捷，你二人破壞吉字營的名聲，本該處死，看到富將軍分上饒你們死罪。現給你們一人一把匕首，一人一條狗，跟我到後門草坪上去，待狗跑過柳樹後，你們各人將手中的匕首發出去。刺死狗者，本帥賞一杯酒；沒有刺中者，本帥罰打二十軍棍！」

這眞是少見的賞罰！衆人歡呼起來，富明阿也在心裏稱讚曾國荃的點子出得古怪有趣，不過他不大相信，這兩個土將軍能有如此本領。

大家都來到後草坪。彭、劉二人各持一把匕首，牽一條狗，站在離柳樹五十步遠的地方，每隻狗後面跟著一個手拿鞭子的士兵。曾國荃一聲令下，兩個士兵舉起鞭子朝狗身上用力一抽，兩隻狗狂叫著箭也似地向前飛奔。剛過柳樹，彭毓橋眼明手快，匕首早已從手裏飛出，不偏不斜，不前不後，正中狗頭，那隻狗在地上抽搐兩下，不動了。正在這時，另一隻連腳都未蹬一下，便躺在血泊中了，一把匕首牢牢地插在它的腦頂。衆人鼓掌狂笑。

「狗養的，你再誣罵老子拿了珍珠，這隻狗就是你的下場！」劉連捷側過臉去，狠狠地罵道。

「婊子養的，你再講老子拿了元寶，這隻狗也是你的下場！」彭毓橋也側過臉去，狠狠地回了一句。

站在一旁的富明阿猛然一驚，如同這兩把匕首插在他的心上似的恐怖不已。

再次回到廳裏，吉字營的將官們酒興更濃，富明阿卻心事重重，望著眼前的酒菜，再也吃喝不下去了。曾國荃看在眼裏，心中暗喜。「富將軍，另一件寶貝，你不想見識一下嗎？」

「哦，哦！」富明阿彷彿醒過來了，「好哇，只要九帥肯拿出來，我當然樂意一開眼界。」

「來人，把寶貝抬出來！」

曾國荃的話音剛落，八個年輕的兵士抬出一座黃龍大轎來。

「這是長毛坐的轎吧？」富明阿問。

「是的。」曾國荃答，吩咐士兵：「把轎罩揭開！」

四個兵士走上前，一人站一角，一聲吆喝，把轎罩掀過頭頂。富明阿的眼前忽現一片大紅，定神看時，原來是一株特大罕見的珊瑚樹。只見樹高四五尺，枝柯交出，其大盈圍，其紅如血。睹此異物，富明阿好比置身龍宮，驚詫不已！

「富將軍，這是在洪逆西花園裏得到的，我本想自己留著，但家兄生性儉樸，不喜珍奇，定然不能容此物，故不敢留。富將軍是城破後第一個進城慰勞的朝廷要員，這株珊瑚樹，就算著我吉字營全體將士對將軍的答謝吧！」

「如此珍寶，鄙人不敢受，不敢受！」富明阿嚇得忙起身推辭。

「朱洪章！」曾國荃高喊。

「到！」朱洪章離席來到廳中。

「你帶著煥字營一百個兄弟，將這株珊瑚樹護送到富將軍船上，不得有誤！」

「是！」朱洪章轉過臉下令，「弟兄們，抬到下關去！」

富明阿見此情景，也不做聲了。

第二天一早，富明阿便帶著這株紅珊瑚樹，悄悄地離開金陵城，兼程趕到山東濟寧府，面見僧格林沁，十分誠懇地對他說：「金陵城內金銀如山、財貨如海的話，純係子虛烏有，卑職細心查訪，詢問故舊父老，咸謂並無此事。請王爺轉告皇太后、皇上，不必再追查，以免激怒湘軍，引起事端。」

六 御史參劾，霆軍譁變，曾國藩憂鬱又加深了一層

富明阿好打發，但天下悠悠之口卻難堵住，當曾國藩離開金陵，回安慶料理一個多月，將兩江總督衙門正式遷入原太平天國英王府時，朝野上下已物議沸騰，紛紛指責湘軍將金陵城洗劫一空，還送曾國荃一個極難聽的綽號：「老饕」。曾國荃聞之濕毒加重，肝病復發，曾國藩也憂心忡忡，時刻擔心不測之禍臨頭。

這一天，曾國藩於兢兢之中又拿起《宋書・范泰傳》。當讀到范泰對司徒王弘說「天下務廣而權要難居，卿兄弟盛滿，當深存降挹」這句話時，就覺得這正是在對他和沅甫敲的警鐘。他提起筆來，在這句話的旁邊加了一長串小圓圈，然後又在天頭上批下一句：「處大位而兼享大名，自

古能有幾人深善末路者，總須設法將權位二字推讓少許，減去幾成，則晚節漸可以收場耳。」放下筆，他又想到沅甫向來心境狹窄，正宜用這些前人的故事去開導他。於是叫來王荊七，命他將此書送給九帥，爲鄭重起見，又作了一封短函：

沅弟左右：弟肝氣不能平復，又懷抑鬱，深爲可慮。弟不必鬱鬱。從古有大勳勞者，不可本身得一爵耳，弟則本身既掙一爵，又贈送阿兄一爵。弟之贈送此禮，人或忽而不察，弟或謙而不居，而余深知之，頃已詳告妻子知之，將來必遍告家人家族知之。而今以後，當與弟謀長保家族不衰之方。現遣荊七送來《范泰傳》一篇，願弟熟讀深思之。古來成大功大名者，除千載一郭汾陽外，恆有多少風波，多少災難，談何容易！願與吾弟兢兢業業，各懷臨深履薄之懼，以冀免乾大戾。

荊七剛走，摺差便送來一迭諮文，這是軍機處照例抄送給各地督撫、將軍、都統的朝廷重要奏摺。曾國藩小心打開，一共三份，他看著看著，心慌意亂，兩眼模糊起來，最後竟冷汗透濕，面色發白，靠在椅背上，連站起的力氣都沒有了。原來，這是三個御史的參摺，全是對著他曾氏兄弟和湘軍而來的。

一個御史朱鎮奏陳金陵善後事，謂兵勇宜遣散，田宅宜清還，難民宜撫恤，商賈宜招徠，而曾國荃辦善後，卻先事擾民，毫無綱紀，遂使金陵城的善後越辦越亂。奏請罷掉曾國荃的巡撫職務，另在朝中揀擇幹員前去處理。一份是御史廖世民奏曾國潢在湘鄉仗其兄弟之勢，要挾縣令，干預公事，私設公堂，挾嫌報復，甚至以人頭祭祖宗，致使縣令每隔三五天便躲在屋裏痛哭流淚，謂曾四爺又要借其手殺人了。奏請朝廷命湖南巡撫嚴懲劣紳曾國潢，以肅鄉紀。一是御史蔡壽祺奏湘軍種種不法情事，羅列曾國藩、曾國荃、李鴻章、李元度、劉蓉、鮑超等人縱容部屬胡作非爲，謂這些年來湘軍攻城掠地，朝廷所得者少，所損者大。此次攻克金陵，純因長毛氣數已盡，非戰之功。湘軍本流氓之衆，乘時而起，不少人已佔軍政高位，實非國家之福，誠爲不測之患。此輩只宜授以卑職，不能寄以重任。

「如此說來，湘軍和我曾家兄弟，簡直不是功臣而是罪魁了！」曾國藩在心裏淒涼地嘆息。過了好長時刻，他才慢慢清醒過來。御史本是可以風聞言事，不必承擔責任的，皇上對他們所言也並不都認眞追究。三份奏摺都僅以諮文形式抄閱，朝廷未有任何態度，所遞送的對象也僅限於兩江總督一人。這就意味著只是敲敲而已，並不想把它擴散開。想到這一層後，曾國藩心裏略爲開朗了一些。他把趙烈文、楊國棟、彭壽頤等人叫來，將諮文交給他們傳閱了一遍，大家的看法與他一致。

「中堂，這些諮文要不要給九帥看看。」趙烈文將諮文折好，準備存入櫃中時問。

「沅甫近來心情不好，暫不給他看吧！」曾國藩想了想說。

「中堂，我們擬一個摺子，把這些無事生非的烏鴉們痛駁一頓，不要讓皇太后被他們的謊言欺騙了。」彭壽頤氣憤地說。

「是要上個摺子，跟皇太后講淸楚。」楊國棟附和。

「摺子暫時不上。」曾國藩捋著長鬚，安靜地坐著，他的心境已基本平息了，「只將蔡壽祺的那份摺子再抄兩份，以我的名義轉給李少荃、劉孟容，由他們去向皇太后辯誣爲好。」

「還是中堂想得周到。」趙烈文說，他從心裏佩服曾國藩處事的老練。幕僚們剛走，一親兵進來稟告：「霆軍營官滕繞樹在衙門外求見。」

鮑超回四川省親去了，霆軍由記名提督宣化鎭總兵宋國永統帶，目前正在全力對付太平軍康王汪海洋的人馬。是戰事危急，需調人救援，還是捉到了汪海洋，前來報捷？「叫他進來。」自從咸豐四年衡州出兵後，整整十年沒有再見過滕繞樹了，見當年這個瘦小得像一根小藤條的湘西勇丁，如今已是威風凜凜的將官。曾國藩心中一喜，含笑問：「你現在官居何職？」

「回稟中堂大人，卑職現居記名副將霆軍樹字營營官。」滕繞樹一板一眼地回答。

「有出息，居然是二品大員了！」曾國藩稱讚。

「這個二品有什麼用！」滕繞樹不屑地回了一句。

「怎麼沒有用？」曾國藩覺得奇怪。

「聽說要裁軍了，像我們這種記名官一旦離開軍營，便是老百姓了。莫說二品，就是一品也是空的。」

裁軍的事，曾國藩還沒有考慮成熟，他深知這中間的問題一定會很多。在給皇太后、皇上的奏摺中，他提到了這件事，表示了堅決裁撤湘軍的決心，爲的是讓朝廷放心，至於具體部署，還有待周密思考。在一次湘軍高級將領會上，曾國藩把裁軍的決定透露給他們，以便聽聽他們對此事的反應。看來，鮑超已將此事在霆軍中傳開了。滕繞樹來，正好可以借此機會聽聽軍營將士們的意見，也可以對他們作些解釋。

「繞樹呀！」曾國藩放下總督的架子，以長輩的身分和藹地說，「你百戰辛苦，爲國家立了功勞，鄉里族人誰不敬重？現在再拿些遣散費回去，買幾十畝好水田，起幾間大瓦屋，舒舒服服、自由自在地過下半輩子，豈不最好？何必當官爭權呢？何況你們武官終年在軍營，免不了要打仗流血，有性命之憂！」

「中堂大人的話固然很對。」滕繞樹正正經經地說，「不過，買田起屋在家裏過日子，再好也只是一個土財主，哪裏抵得上大將軍操生殺大權，八面威風呢？」

「這樣說來，你們都不願意遣散回籍了？」

「也有人願意，但當官的大部分不願意。」

「不願意又怎樣呢？」曾國藩想起前段時期吉字營的騷亂，已有一種不祥的預感。

「中堂大人，我這次正爲此而來。」滕繞樹神色嚴重地說，「霆軍將近一半人譁變了。」

「有這樣的事？」湘軍中有逃兵，有騷亂，但尚無大批人譁變的先例。霆軍一向紀律甚差，只有鮑超可以彈壓得住。曾國藩也曾擔心霆軍內部會出亂子，但沒有料到譁變。他氣憤至極，

「因何事譁變，誰領的頭？」

「宋軍門有一封信給你老。」滕繞樹從背包裏取出信來，雙手遞給曾國藩。

宋國永的信上說，譁變的部隊達八千人之多，是在追趕汪海洋的途中，聽到裁減湘軍的消息後發生的。他們突然賴在金溪不走，向宋國永索取欠餉，爲頭的是慶字營營官申名標。這兩年來申名標在霆軍內暗中發展哥老會，這次譁變，就是哥老會在串聯的。

這個可惡的申名標，悔不該當初沒有殺掉他！曾國藩在心裏罵道。那年撤了申名標的營官職務後，他在親兵營呆了半年，後被楊岳斌保釋到外江水師，以後鮑超看他能打仗，便許他一

個營官職務，將他從水師調到霆軍。滕繞樹退出後，曾國藩把霆軍譁變的事告訴了趙烈文，並帶著他坐轎來到吉字營統帥部。

曾國荃在讀了大哥的信和《范泰傳》後，心情略為開朗了些，但神情仍然抑鬱。見大哥一進門，便忙拉著他的手說：「大哥，我想好了，我只有走一條路才可以使天下謗言中止。」

「老九，你又瞎想些什麼啦？」曾國藩為弟弟的話害怕，怕他有意外之舉。

「我要學王弘、王縣首兄弟，稱疾引退。」

原來要走的是這條路，曾國藩鬆了一口氣。這實際上是曾國藩自己心裏的想法，處眼下情勢，老九還是暫時回籍避一下為好，叫荊七送《范泰傳》的背後，或許也含有這層意思。但現在由老九口裏說出，他又覺意外，尤其在看了《范泰傳》後提出，他又擔心老九會以為是阿兄逼他回籍，忙說：「金陵諸務都離不開你，要稱疾引退，也是大哥的事，待金陵善後諸事粗有頭緒後，大哥我便向皇太后、皇上提出開缺回籍。」

「大哥怎麼能走這條路！」曾國荃苦笑道，「況且我現在心身都有病，這金陵城嘈嘈雜雜的，也住不下去。吉字營的裁撤困難很多，我在這裏，眼看他們淚淋淋地離別，心裏難受。再說，我的大夫第，貞乾的有恆堂，也要由我回去親自督建。」

曾國藩見弟弟講得懇切，便說：「好吧，這事我們兄弟之間好商量，現在有件急事要聽你的意見。」曾國藩拿出宋國永的信來。

「這批王八蛋，統統都要殺頭！」曾國荃匆匆看完信，恨得牙齒上下咬得吱吱作響。

「老九，這可是給我們胸口上插了一刀子，比外間的議論要厲害得多啊！」曾國藩以求援的眼神望著弟弟，「你看此事如何平息？」又對趙烈文說，「惠甫，你也說說，我們三人來商量一個兩全之策。」

「卑職一定為中堂和九帥分憂。」趙烈文懷著被信任的感激之情說。

「這好辦，叫彭毓橋、劉連捷帶五千人馬去，繳他們的械，把申名標押來。」曾國荃不假思索地衝口而出。

「這不成了湘軍內部的火拼，更給別人提供攻擊的口實？」曾國藩不同意這個簡單的處理辦法。

「這不是火拼，是平叛！對這等叛逆之賊，只有徹底消滅，才能根絕效尤。」曾國荃強硬地堅持自己的意見。

「是倒是這樣，不過八千譁變官兵，消滅亦不容易呀！」曾國藩背著手踱步，沒有想出一個好主意，但他總覺得沅甫這個辦法不妥。

「中堂、九帥。」趙烈文沈默半晌後終於開口了，「我揣摩中堂的意思，是想用較爲穩妥的辦法，不很露聲色地來處理霆軍的譁變。」

「是的。」曾國藩點點頭。

「卑職也覺得中堂的想法更好些。九帥欲以武力消滅，雖乾淨徹底，但不易做到。卑職以爲不露聲色的處理辦法，最好莫過於撫。」

「怎麼個撫法？」曾國荃問。趙烈文這兩年來爲曾國荃攻金陵出過不少好主意，對他的才能謀算，曾國荃是佩服的。

「卑職想，中名標再蠢，這種時候，他率部譁變，也決不會去投靠長毛李世賢、汪海洋，其目的，大概是要在散伙之前多搶些金銀財物，聽說霆軍欠餉很嚴重，有的營半年沒開過餉了。中堂和九帥如果認爲可以的話，派我到金溪去走一趟，暫且穩住這八千人的心，使他們不至於把場合鬧得更大。」

「你用什麼法子去穩定呢？」曾國藩欣賞趙烈文的主意。

「卑職有什麼能耐，還不是要借中堂和九帥的威望。」趙烈文笑著說，「我去金溪，第一告訴他們裁軍的事，目前還沒有進行，大家不要聽信謠傳，亂了自己的軍心。」

「噢。」曾國藩點點頭說，「惠甫，你可以這樣對他們說，關於裁軍的事，曾某人正在等皇太后、皇上的御旨。湘軍如何裁撤，目前還沒有一個具體方案，有關這方面的一切傳聞都是沒有根據的。」

「是的哩，吉字營裁不裁，如何個裁法，我都還沒有底。只有鮑超這個木腦殼，一聽到風就是雨。」曾國荃氣憤地說，曾國藩聽了卻不是味道。

「中堂這樣明白地告訴我，我心裏就有數了。我到金溪後就把中堂剛才這幾句話原原本本地告訴他們。」

「惠甫啊！」曾國荃又開了腔，「我看，你乾脆跟他們講，就說裁軍一事暫時不會動，過段時期再說。」

趙烈文望著曾國藩，等候指示。曾國藩不能同意老九的話，但想起他剛才說的學古人引退的那番話，覺得他已爲自己作出了太大的犧牲，這件事再不能讓他不高興了，遂說：「你就照沅甫所說的，先哄他們一下也行。」

「再一條，」趙烈文繼續說，「向中堂討三十萬銀子，將霆軍的欠餉一律還清。如此，大部分參加譁變的士兵都會回頭的。」

曾國荃忙搖頭：「使不得，使不得！你用三十萬銀子還清霆字營的欠餉，那其他營怎麼辦？哪有這麼多銀子還債？」

「沅甫的話有道理。」曾國藩思索良久後說，「不過，霆軍已經譁變，事非尋常，不撒點銀子出去，看來難以平息。這樣吧，先從上海關洋稅中提出十五萬銀子，發放半餉。」

「發半餉也行。」趙烈文說，「第三，請中堂授權給我宣布：凡參加這次譁變的官兵一律不追究。」

「不能這樣便宜他們。」曾國荃又反對，「大哥作一書急召春霆回來，將此事交給他，讓他慢慢地一個個地算帳。」

「沅甫說得對，必須趕快把春霆召回來，但不必個個清算，要清算的是申名標等頭子和哥老會的人。將這些人處置後，嚴諭各軍各營，今後再發現有哥老會，不論鬧事沒鬧事，一概嚴懲，凡參加譁變者格殺勿論！惠甫這次去，我授特權給你，暫不追查，先平息下來再說，免得將他們逼上絕路。」

「謝中堂、九帥信任，卑職一定盡快將這次譁變悄無聲息地處理好！」趙烈文站起來堅定地說。

七　恭王被罷，曾國藩跌入恐懼的深淵

趙烈文一哄二騙三收買的辦法起了作用，譁變的八千人除一百多人跟著申名標逃走外，其餘的都由趙烈文、滕繞樹帶回了撫州老營。不久，鮑超由四川奉節日夜兼程趕回，將這些譁變的人狠狠地訓罵了一頓，並以嚴刑拷打迫使他們供出了一百多個哥老會人。鮑超將他們一齊斬首示衆。這場譁變終以慘敗告終。曾國藩重賞了趙烈文和鮑超，並將霆軍譁變之事曉諭湘軍水陸各營，嚴禁哥老會，一旦發現，格殺勿論；所有參與譁變的人，不論過去功勞高低，一概嚴懲不貸。從那以後，譁變不再出現，但索餉、鬧事卻時有發生。一時沒有別的法子可想，曾國藩不得不實行老九的辦法，向湘軍將官們宣布：裁軍之事暫時不提了，以後再說。這樣，才逐漸平息了湘軍的怒潮。

這時，曾國藩忙於部署修繕城垣，重建滿城，並親自監督江南貢院的修復。貢院開工的那天，曾國藩邀請金陵城內城外百多位德高望重的讀書人，來到位於秦淮河畔貢院街上的貢院舊址邊。這些讀書人中，有汪曾甫、錢密之等十人爲宋學宿儒，在江南素有三聖七賢之稱，曾國

藩對他們很是禮遇。大家見偌大的江南試院，除至公堂、衡鑒堂、明遠樓未受大的損壞外，其他如監臨、主考、房官、提調、監試各屋、謄錄、對讀、彌封、供給各所片瓦不見，一萬六千間號房板蕩然無存，這些耆儒們對此慘景莫不哀嘆不已。曾國藩對他們說，不管工程量多大，都要搶在十一月前把貢院修好，不但舉行本屆鄉試，還要補行戊午、辛酉、壬戌三科，都在今年一併錄取，並增建號舍四千間，達兩萬整數。又考慮皖北尚在捻軍控制之下，其應試秀才不能前來江寧，特為安徽省留下四成名額。

曾國藩的這些話引起老儒們萬千感激，紛紛稱讚此舉是為江南讀書人所做的第一大善事，功德無量。一個老頭子顫巍巍地當眾跪下，給曾國藩磕頭，涕淚滿面地說：「中堂大人，你是活佛活菩薩，我為我祖孫三代人向你磕頭祝福。我從咸豐三年起，整整盼了十三年，終於盼到了今天。十一月我要帶著兒子、孫子，祖孫三代前來應試。中堂大人，從明天起，我每天三炷香，對著你的長生牌位磕頭行禮，托你老人家的福，我李老頭子還能活著看到這一天的到來。」老頭子趴在地上，嘮嘮叨叨地說了許多，說得曾國藩又歡喜又酸楚。

這百餘個老儒們回去後四處傳揚，把江南兩省的舉子們喜得心花怒放，感激的信件成百上千地飛向總督衙門，使久處憂鬱之中的曾國藩略感一絲欣慰。這天上午，曾國藩照例來到籤押房，審擬案頭上堆得高高的文書。首先打開昨夜送來的幾份廷寄，剛讀到第一句話，曾國藩就驚呆了，照例的「準兵部火票遞到議政王軍機大臣字寄」套話中赫然缺了「議政王」三字。他頓時詫異萬分，連下文都無心看下去，便打開第二件，也沒有「議政王」三字，再打開一份仍沒有。昨夜收到的三份廷寄，均無「議政王」三字，他覺得此事非同小可，趕緊召來趙烈文、楊國棟、彭壽頤，三個心腹幕僚看後也深為不解。

曾國藩憂慮地說：「自同治元年來，軍機處發出的文件，從來沒有出現過這樣的事，即使恭王生病期間，『議政王』三字亦冠在前，這次若不是有生死大變，則一定有非常大事。」

「事情來得突然。」趙烈文沈思著說，「不過卑職早就聽人說，蔡壽祺的那份劾摺，原不是衝著中堂、九帥和其他湘軍統帥來的，矛頭指的是恭王，說恭王是湘軍的靠山、保護傘。」

「這話我也聽說過。」楊國棟說。

「蔡壽祺一個小小的御史，哪會有這樣大的膽子，必定有人在後面指使他。」彭壽頤托著腮幫子，深思熟慮地說出這句話來。

「長庚說得極有道理。」趙烈文說，「這個人八成是西邊的太后。」

在曾國藩的密室裏沒有禁忌，上至皇太后、皇上，下至督撫兩司都可以直言明說，但出門則不能妄說一句，而進得這個密室的也只有少數幾個心腹幕僚。聽著他們的分析，曾國藩覺得事情比自己所想的還要嚴重得多。假若恭王不是猝然去世，而是被罷黜的話，那最主要的一定是因爲他和湘軍的緣故。想到這一層，曾國藩心裏恐懼起來。他端坐在太師椅上，右手不斷地捋著長鬚，面色凝重，一言不發。

「中堂。」趙烈文輕輕叫了一聲，「我們在這裏議論，好比瞎子摸象。這樣一件大事，震動中外，這兩天必有京報來，我們看到京報後再說。」

正說話間，荊七捧來一大堆從京師來的函件，彭壽頤急忙從中挑選京報。找到了！京報在首要位置上登載明諭：「諭在廷王大臣等同看：朕奉兩宮皇太后懿旨，本日據蔡壽祺奏恭親王辦事循情貪墨，驕盈攬權，多招物議，妄自尊大，諸多狂傲，倚仗爵高權重，目無君上，視朕沖齡，諸多挾制，往往暗使離間，不可細問，若不及早宣示，朕親政之時，何以能用人行政。恭親王著毋庸在軍機處議政，革去一切差事，不准干預公事。特諭！」

曾國藩看完這道特諭，半晌作不得聲，他輕輕揮手，示意趙烈文等人退出。自己獨自坐著，忡忡然彷彿呆了似的。不知過了多久，荊七在他的耳邊說：「大人，天已黑了，要掌燈嗎？」

「什麼？天黑了，我坐了多久了？」曾國藩如同睡夢中醒過來一般。

「有一個時辰了。」荊七輕輕地說。

「好吧，掌了燈後，你告訴廚房，今晚不要送飯，叫他們煮一碗新鮮青菜湯，再打兩個雞蛋就行了。」待荊七出門後，曾國藩的腦子才開始轉動過來。

宮闈事祕，詳情莫知，但有一點已很清楚了，恭王的確是因蔡壽祺的彈劾而被罷黜的，且上諭寫得明白，是奉兩宮太后懿旨。所謂兩宮太后，實際上是西太后的代名詞，這點曾國藩早已知道。事情完全如趙烈文等人所分析的，西太后指使蔡壽祺上奏，又親自下令革去恭王的一切差事，措詞如此嚴厲：「目無君上」「諸多挾制」「暗使離間」，竟類似三年前指責肅順的口氣。

天氣尚只是初秋，曾國藩已覺冷得發抖。他叫荊七找出一件棉褂來，穿在身上，還冷不過，於是又要荊七乾脆生一盆炭火。曾國藩深知，在他離開京師，創辦湘軍到現在十餘年間，恭王一直是他朝廷中最强大的支柱。文宗在日，恭王以皇弟之親貴，力勸文宗信任他，重用他，盡管遇到多方掣肘，滿蒙猜忌，甚至文宗本人亦不甚放心，只因有恭王這座大靠山在，曾國藩始終還是受到器重的，當然，那時還有肅順的大力支撑。文宗歸天後，肅順被處決，但恭王擁戴功勳巨大，位居議政王，朝廷一切大事，皆出於恭王一手。恭王將曾國藩引為腹心，給予完全信任，直至節制四省兵力，成為三藩之亂後軍權最大的第一個漢人。後來，曾國藩漸漸看出西太后葉赫那拉氏是一個權慾極強，心機極多，手段極狠的女人，她不甘於大權旁落，與恭王常有齟齬，太后與恭王之間的不合，使朝中有識之士爲之擔憂，處於軍事最前線的曾國藩則更是忐忑不安。

現在，曾國藩終於明白了，攻克金陵後所遭遇的一切不愉快之事，如富明阿的暗訪，三御史的參劾以及沸騰人口的物議，很可能都是西太后這條線上生的事。是不是西太后害怕恭王利用湘軍這支軍隊，作爲日後重演辛酉政變的工具？抑或是西太后討厭恭王過於重用漢人，使湘軍坐大，成爲滿人江山的最大隱患？不管怎樣，恭王的被罷黜，在曾國藩看來，這是十餘年間所受到的打擊中最爲致命的一次。

皇上的胞叔，在辛酉年起了旋轉乾坤作用，近年來外撫諸夷，內平戰亂的議政王，無論從親，從貴，從功，從哪方面來講，都是當今天下第一臣。就是他，都被這個西太后弄了下去，此人之手腕心腸可想而知！曾國藩想起前朝的呂雉、武則天，莫非大清王朝也要女主臨朝了。牝雞司晨，國之不祥，恭王已被先行開刀，接下來大概是自己和自己的兄弟了。曾國藩由恐懼慢慢轉到絕望，木然坐在椅子上，彷彿身子正在被人推向黑暗的深淵。

第二天一早，他把曾國荃、曾紀澤叫進內室，關起門窗，向他們談了自己對時局的分析。

叫兒子立即離開江寧回荷葉塘，取消原定全家遷居江寧的打算，並轉告四叔要事事謹愼，勿再招惹是非。也要弟弟對奏請開缺一事作好心理準備。倘若太后溫詞慰留，當此時勢，勿再固請，以保存實力；倘若太后同意開缺，要坦然接受，接旨後立即啓程，在家養病讀書，不涉及湖南官場絲毫。一向我行我素、不畏人言天命的曾國荃，對這場突如其來的變故也大爲震驚，不免冒出一股灰溜溜的心緒來。

八　秦淮月夜，曾國藩强作歡顏，爲開缺回籍的弟弟餞行

一連幾天，曾國藩無心治事、讀書，早早晚晚和趙烈文等人圍棋。下棋的時候，有時會偶爾想起康福來，心裏無端冒出一種虧欠的疚意。京師再無重要消息傳來，案桌堆積的事情又一樁樁壓頭，曾國藩自我嘲弄地作了一副對聯：養活一團春意思，撑起兩根窮骨頭。無可奈何地打起精神來辦事。

上午，汪增甫、錢密之等三聖七賢結伴來到總督衙門，對今年江南鄉試事又提了許多建議：一爲隆重起見，今年甲子科鄉試請總督大人親自入闈監臨；二是內簾十八房，請於科第出身實缺州縣中考充，如實缺人數不敷，即於安徽江蘇兩省候補之即用大挑揀發各班中挑選；三是

咸豐九年借杭州鄉試時，因實到考生少，曾留下四成三十六名，請奏准列入今年中試名額；四是重建被長毛破壞後又遭兵火焚毀的夫子廟。這些建議，除第一點曾國藩表示要按舊章辦事，兩省巡撫輪流監臨，今年由江蘇巡撫李鴻章充任外，其他的都欣然採納。三聖七賢滿意告辭。臨出門時，汪增甫將近日所作《不動心賦》交給曾國藩，說「請中堂賜教」，曾國藩連說兩聲「拜讀拜讀」，將它放在桌上。

下午，他又帶著一班幕僚查看市面恢復情形，見四處都在興建修繕房屋，街道已清理好，商賈也開始營業，城外的人都紛紛進城做生意，心中略感安慰。傍晚時回到書房，想起汪增甫日間所送的《不動心賦》還沒看，便信手拿著讀起來：「使置吾於妙曼娥眉之側，問吾動好色之心否乎，曰不動。又使置於紅藍大頂之旁，問吾動厚祿之心否乎，曰不動。」曾國藩嘴角邊泛起一絲微笑，正要繼續讀下去，猛然見旁邊有人批了幾行字：「妙曼娥眉側，紅藍大頂旁，爾心都不動，只想見中堂。」這分明是趙烈文的筆跡。曾國藩生氣了，吩咐親兵火速將趙烈文叫來。四處找不到人，一直到深夜，趙烈文進來了。

「惠甫，這是你批的？」曾國藩揚起《不動心賦》，沉下臉問。

「是卑職一時興起，胡亂寫的。」趙烈文爽快地承認了。

「汪增甫是江南頭號名士，你怎能在他的手跡邊批上這樣不客氣的話？」曾國藩顯然不高興。

「中堂，我看這個頭號名士是個口是心非的假道學，有意刺他一下。」趙烈文似乎不在乎。

「惠甫呀！」曾國藩的臉色稍霽，但神情依然是嚴肅的，「此輩皆虛聲純盜之流，言行不能坦白，我亦知之，還要你來提醒嗎？汪先生幾十年來周旋於官紳之間，靠的就是這種虛名假學。你如此不禮貌地揭穿他，壞了他的名聲，損了他的形象，他不恨死了你？他有不少朋友、弟子，這些人都會成爲你的對頭。說不定日後的殺身之禍，就埋在今日這幾句打油詩裏。」

趙烈文聽了悚然變色，知曾國藩這番教導用心深長，便懇切地說：「是卑職不對，卑職閱世太淺，險些惹了禍，今後再不敢了。」

「明天他一定會做出一副討教的樣子，來接受我對他的稱讚，然後再把我的話拿出去四處吹噓。我早知他的用意，心中雖極不情願，但又不能得罪他，我要靠這班人來爭取江南士子呀！可惜，我明天不能在這頁紙上批字了，只得另寫。」

「都怪卑職見識淺陋。」趙烈文心中慚愧。

「惠甫。」過一會，曾國藩又問，「今下午四處尋你不見，你到哪裏去了？」

「卑職訪一個朋友去了。」趙烈文答，臉上不自覺地泛起一陣輕紅。曾國藩盯著他的臉，看出了這一絲小小的變化，微笑道：「我看你不是去訪友，而是去尋歡去了吧！」

「中堂明察。」趙烈文忖度曾國藩已經知道，便紅著臉承認，「卑職今下午跟一個朋友到秦淮河上聽曲子去了。卑職今後再不去了。」說完低下頭等著訓斥，他知道曾國藩素來恨聽曲狎妓的文人。

「秦淮河上又有人在唱曲子了？」

誰知曾國藩非但沒有訓斥，反而面有喜色。趙烈文很奇怪，答話的興致提高了：「早就有了，近半個月來更熱鬧，老金陵人都說，只要再有半年安寧日子，秦淮歌舞就可以與咸豐二年之前相比了。」

「金陵人對此看法如何？」

「那還用問。」趙烈文高興起來，「金陵人都說，這秦淮歌舞是金陵城的象徵，沒有秦淮歌舞，金陵就不算金陵了。我的朋友也這樣對我說。就衝他這句話，我犯了大人的禁忌，在秦淮河上聽了半天曲子。」

「上秦淮河聽曲子不算犯忌。」曾國藩捋著長鬚，若有所思，聲音輕輕地，彷彿自言自語。

「什麼?大人說不犯忌!」趙烈文簡直懷疑耳朵聽錯了。

「惠甫,你大致說說,秦淮河兩岸現在情形如何。」

「是。」趙烈文樂得手舞足蹈,興致勃勃地說了起來,「秦淮歌舞這十多年來,因長毛的禁止而絕跡了。又因這次攻城,戰火猛烈,秦淮河兩岸樓房也焚毀多半。剛進金陵的那半個月,秦淮河依舊是條死河,兩岸黑燈瞎火,沒有一點生氣。慢慢地,過去操此業的人又回來了,在兩岸修樓建房,造船漆槳,據說做的多是吉字營弟兄的生意。」趙烈文偷眼看了看曾國藩,只見他臉上並無反感之色,便又乘著興致繼續說下去,「這一個多月來,秦淮河兩岸與河面上的生意是越做越紅火了。從聚寶門到通濟門一帶,遊客天天增多,房屋也三成恢復兩成,尤其是桃葉渡更是熱鬧,酒樓妓館一座接一座,賣小吃小玩意兒的叫聲喧天。入夜則各色花燈、琉璃燈、紙燈、絹燈又都挑出門外,這一帶的畫舫,少說也有百把隻,都雇了絕色女子、上等琴師,隻隻船上都坐滿了聽曲子的遊客,一個個都聽得如醉如癡,不知今夕何夕。」

秦淮河自通濟門進城,西行五六里後,折轉而南向聚寶門方向流去,轉彎處有一個渡口。相傳東晉大書法家王獻之常在這裏接愛妾桃葉,以後這個渡口便叫桃葉渡。如果說秦淮河是溫柔富貴之鄉、詩酒繁華之窟的金陵城的代表,那麼桃葉渡便是胭脂花粉秦淮河的代表,怪不得趙烈文說到桃葉渡時，更是眉飛色舞，不覺得自己也迷迷糊糊了。

「你今下午就在桃葉渡？」曾國藩臉上微笑著，心想：看不出來，這趙惠甫還是一個風月場中的人物哩！

「卑職正是在桃葉渡聽了兩個時辰的曲子。卑職十多年沒有聽過這麼美的吳曲了，眞個是此曲只應天上有，人間能得幾回聞？」趙烈文還沒有從桃葉渡畫舫上解脫出來。

「惠甫，我請你辦一件事。」曾國藩停住了捋鬚的右手，一本正經地對趙烈文說。

趙烈文一聽有事，腦子立刻冷靜了：「請問大人要叫卑職辦件什麼事？」

「你就負責秦淮河的修復事，搶在十一月鄉試前，把聚寶門至通濟門一帶的秦淮河，恢復成咸豐二年前的模樣。」

趙烈文又驚又喜，他作夢都沒想到會有這樣的美差落在自己的頭上，樂不可支地說：「謝中堂中人青睞，我明天就走馬上任！」略停片刻又說，「離十一月鄉試只有一個多月了，要把秦淮河完全恢復過來，時間太短了。」

「全部恢復過來，怕也是不行。」曾國藩換了左手捋鬍鬚，思考一下說，「這樣好了，你只把桃葉渡上下一帶恢復過來就行了。古人說六朝金粉，十里秦淮，秦淮河最熱鬧之處也不過十里，我現在只要你建五里就行了。」

「卑職遵命，卑職一定把桃葉渡修建得比十多年前還要好。」趙烈文雄心勃勃，隔一會，他又說，「不過，卑職還要向大人借一件東西。」

「什麼東西？」

「借大人一紙告示。」趙烈文說，「請大人出一張修復秦淮河的告示，鼓勵酒肆茶館、勾欄瓦舍，各行各業在秦淮河兩岸興建，三年不納稅，與歷代鼓勵開生荒的措施同。」

「虧你想得出，把修復秦淮河與開生荒相提並論。」曾國藩不無讚賞地說，「好吧，就依了你。」

曾國藩對恢復秦淮河舊跡如此感興趣，使趙烈文大為驚訝，他終於忍不住發問：「大人，這秦淮河素來被人貶為輕薄子弟的遊玩之所，卑職不明白，大人為何對此事這般重視？」

「你要問這個嘛！」曾國藩微微一笑，「三十年前，我是心嚮往遊冶而不敢遊冶；三十年後，我是心不想遊冶而不禁別人遊冶。三十年前血氣方剛，聲色犬馬，常令我心馳神往，我但求功名，求事業，不能沉緬此間。我痛自苛責，常不惜罵自己為禽獸，為糞土，而使自己警惕。經過十多來的靜、敬、謹、恆的立志與修養，終於做到了心如古井，不為所動。三十年後的今天，我身為兩江總督，處理事情則不能憑一己之好惡。我要為金陵百姓恢復一個源遠流長、大家喜愛的遊樂場所，要為皇上重建一個人文薈萃、河山錦繡的江南名城。芸芸衆生，碌碌黔首，有幾個能立廊廟，能幹大事業？他們辛苦賺錢，也要圖個享受快樂。酒樓妓館，畫舫笙歌，能為他們消憂愁，添愉悅，也就有興辦的價值。我身為金陵之主，能不為這千千萬萬的凡夫俗子著想嗎？且遊覽秦淮河，如同讀一部六朝至前明的舊史，幾度興廢，幾多悲喜，亦足令讀書君子觀古鑑今，勵志奮發，居安思危，為國分憂。夫子廟楹柱上曾有一副聯語，道是『都是聖人，且領略六朝煙水；暫留過客，莫辜負九曲風光。』我看這副楹聯就不錯，君子小人都可以一遊秦淮。夫子廟重新修好後，還得把這副楹聯刻上去才是。范文正公稱讚滕子京治岳州時是『政通人和，百廢俱興』，這話說得好！有政通人和，才有百廢俱興，而百廢俱興，又體現出政通人和。秦淮河初具規模後，還要修復雞鳴寺、莫愁湖、台城、勝棋樓、掃葉樓，乃至城外雨花台、孝陵衛、燕子磯等等，將六朝舊跡、前明文物一一恢復，使龍盤虎踞的石頭城再放光彩。惠甫，你說對嗎？」

這番話，說得趙烈文從心坎裏折服，並於此對曾國藩的認識更深入一層。他發自內心地嘆道：「大人器宇之廣，見識之高，眞常人萬不及一。」

修城牆，造房屋，復滿城，興貢院，再加上重建夫子廟，恢復秦淮河，曾國藩一天到晚忙在善後處理與百廢俱興之中，暫時忘卻了錐心的憂愁和恐懼。這天上午，一道聖旨又將他的憂愁和恐懼喚回，這便是皇太后、皇上批准曾國荃開缺回籍養病。當然，上諭還是客氣的。先肯定他「迭克名城，勳德卓著，攻拔江寧，厥功尤偉」，又說他因辦理軍務心力交瘁，若不准其開缺養病，非體恤功臣之道，最後賞他人參六兩，說朝廷正資倚俱，望加意調治，一俟病體痊癒，即行來京陛見。這些客氣的表面話背後所包含的心思，曾國藩已洞若觀火。「要隱忍挺住！」他不斷地自我告誡。

就在曾國藩收到上諭的同時，浙江巡撫曾國荃也收到了這份開缺聖旨。他雖早有準備，但仍顯得委屈痛苦，匆匆看了一遍後，便急急坐轎來到督署。

「大哥，我明天就離開金陵。」曾國荃說話之間，聲音在微微顫抖。

「該做的事都做了嗎？」曾國藩溫存地看著百戰功高的弟弟，心裏很難受，臉上卻帶著微笑，做出一副怡然的神態。

「請求開缺的摺子拜發以後，我就開始作準備了。自恭王被罷以後，，我知開缺只是早晚的事，該做的事情都加緊做好了。」恭王被罷去議政王一事，給曾國荃震動極大，第一次眞正領略到了君威凜冽，往日的驕狂性情有所收斂。

「我明天就走。」停了片刻，曾國荃又重覆一句。

「也不要這樣著急。」盡管「接旨啓行」是他對弟弟說過的話，但眞的這樣，他又覺得太淒涼了。作爲執行皇命的兩江總督，他無疑要鼓勵吉字營的統帥招之即來，揮之則去。但作爲曾氏家族的兄長，他有義務要爲給曾家立下光宗耀祖的巨大功勞的九弟隆重餞行。

「你這兩天跟吉字營的弟兄們話話別，大後天是十五，晚上，我爲你在秦淮河上置酒送行。」

趙烈文接到命令後不惜工本，日夜準備。兩天過後，桃葉渡一帶果眞裝點一新。十五日下午，金陵城內吉字營全體湘勇如同過年似的，營營掛旗，隊隊擺酒，爲他們的統帥太子少保一等伯爵原浙江巡撫曾國荃開缺回籍隆重餞行。吃過飯後，全體官兵換上新衣，一齊來到秦淮河畔。河裏已停泊上百條畫舫，所有什長以上的將官都被邀請上船，船上擺滿了酒肉瓜果。普通勇丁則分散在桃葉渡數十家茶樓酒肆裏。遠遠近近的百姓聞知湘軍有此盛舉，全都携幼扶老，紛至沓來，把桃葉渡一帶的秦淮河兩岸弄得萬頭攢動，熱鬧非凡。

河中一條特大號塗飾鮮艷的畫舫上，盛會的主角曾國荃坐在這裏，曾國藩帶著吉字營和長江水師的高級將官們羅列四周，一個個與曾國荃殷勤敍談。誇耀他的戰功，讚揚他的軍事才能，歌頌他對部下的仁愛，敍述他們之間鮮血凝成的情誼。總之，盡量把好聽的話都搬出來，讓淒然開缺的曾國荃開心。曾國荃也竭力裝出一副無所謂的樣子，同與他浴血奮戰過來的袍澤們談笑話別。

天色漸漸黑下來，河中畫舫點起一色的大紅蠟燭，船頭船尾高懸各種形狀的彩燈，有兔形燈、魚形燈、鹿形燈、龜形燈等等，把一段綿延三五里長的秦淮河映得通亮。桃葉渡上的樓房更是爭妍鬥艷般點起千奇百怪的花燈來。秦淮花燈本是最有名的傳統，這次是中斷十多年後的第一次復興，使人們欣喜萬分。桃葉渡以及附近的店鋪老板們，都要借此時機一展才能，招徠顧客，再加上趙烈文有心要在曾國藩面前顯露辦事的能力，這兩天大肆鼓動宣傳，竟使得桃葉渡今夜的花燈遠勝咸豐二年元宵節的燈會，其花色之繁、品種之多、燭光之亮、出意之巧，眞可以與史載六朝繁華時期媲美。河中岸上的燈火與天空中的一輪明月互相輝映，加上各處樓館傳出的裊裊絲弦聲，竟然造出一幅詩意盎然、韻味無窮的太平盛世的月夜來，彷彿時光已倒退到「煙籠寒水月籠沙，夜泊秦淮近酒家」的年代。

彭壽頤、楊國棟、汪增甫、錢密之等人坐在船尾，邊喝酒邊欣賞邊暢談。

「又回到昇平樂世了！」錢密之感嘆。

「這都是托中堂大人、九帥和各位師爺將士們的福哇！」汪增甫望著彭壽頤、楊國棟討好地說，並起身往彭壽頤杯裏斟酒。彭壽頤忙起身說：「不敢不敢！」坐下後，向四周環視一眼，無限陶醉地說：「這秦淮夜月眞妙不可言。」

「是呀，不然何以說秦淮夜月是金陵第一景哩！」錢密之以一個老金陵的身分加以肯定，又指著渡口矗立的一塊約有丈把高的木牌說，「那上面『桃葉渡』三字是中堂親筆題寫的，既剛勁謹嚴，又婀娜多姿，這三個字眞要和這個渡口一起流傳千古了！」

「正是，正是。」汪增甫接言，「字如其人。中堂大人本來既是號令三軍、威猛森嚴的制軍，又是文采蘊藉、風流多情的翰林嘛！」

不愧爲江南頭號名士，這話說得好，滿座都報以嘆服的笑聲。

「桃葉復桃葉，渡江不用楫，但渡無所苦，我自迎接汝。」在衆人的笑聲中，楊國棟輕輕地哼著。

「楊老爺好記性。」錢密之稱讚道，「前明陳芹有首詩寫桃葉渡，歷來被人譽爲詠桃葉渡詩之首，不知楊老爺記得不？」

「我於秦淮河的知識就只有剛才那幾句，其餘一概不知，請老先生唸唸，也好長我見識。」

「歷朝歷代的才子們詠桃葉渡的詩何止千百，老朽獨喜陳芹的這首。」錢密之搖頭晃腦地唸了起來，「獻之當年寵桃葉，桃葉渡江自迎接。雲容難比美人衣，花豔爭如美人頰。王令風流舊有聲，千年古渡襲佳名。渡頭春水年年綠，桃葉桃花傷客情。」

「果然作得好！」楊國棟稱讚，「流韻圓轉，婉麗動聽，深得南朝宮體詩之美。」

「這次秦淮舊貌的修復，是惠甫兄的佳構，平素看不出，他還有這份才情。」彭壽頤笑著說，「我明日要向他建議，兩岸還要栽一萬株楊柳。」

「對！秦淮楊柳，是當年金陵又一絕。」汪增甫插話。

「前明舊院也要修復起來。」彭壽頤醉眼迷迷地繼續說，「還要把媚香樓和金陵另七豔的樓院也按當時的樣子修好。」

「好讓今日的侯方域與李香君相會！」錢密之猛地插一句，引得大家一陣好笑。老頭子自己更是笑得白鬍子亂抖，缺了三顆門牙的嘴巴大開。

「你們看，金陵八豔眞的來了！」汪增甫指著遠處驚喜地叫了起來。

這時，趙烈文也正在得意地對曾國藩和曾國荃介紹：「中堂、九帥，卑職將前朝金陵八豔請來了。」

曾國藩等人順著他的手勢看去，果見一隊紅燭燃燒、彩燈高懸的畫舫緩緩地向這邊划過來，並傳來一陣陣柔曼的江南絲竹。頓時，船上的湘軍將領們如上天台，如登瑤池，都睜大眼睛，豎起耳朵，直欲飽餐吳越嬌娃的秀色，嚥下繞樑不絕的仙曲。第一隻船頭高挑一盞南瓜形紅燈，上書「李香君」三字。第二隻船頭掛一盞方糕形黃燈，上書「顧橫波」三字。第三隻只是一盞玉兔形白燈，上書「馬婉容」三字。依次是柳如是、董小宛、鄭妥娘、卞玉京、寇白門，果然八艷都到齊了。

「惠甫，你這個點子想絕了！」彭毓橘對著趙烈文豎起拇指稱讚。

「好迷人的婊子們！」不知哪個粗野地迸出一句話，逗得滿船大笑。

「先莫喊叫，且聽聽她們唱的什麼曲子！」有人在提醒大家注意。笑聲靜下來，夜風送來一陣歌聲：

秦淮夜月無新舊，脂香粉膩滿東流，
夜夜春情散不收。江南花發水悠悠，
人到秦淮解盡愁。不管烽煙家萬里，

五更懷裏轉歌喉。

歌聲宛轉溫麗，在柔軟的水面上飄曳。歌聲中，李香君、顧橫波、董小宛等人翩翩起舞，河上畫舫、兩岸酒樓以及站在岸邊觀望的人們一齊喝起彩來。過會兒，喝彩聲停，歌聲又起：

下樓台，遊人盡，小舟停留一家春。
只怕花底難敲深夜門，月落煙濃路不真，
小樓紅處是東鄰。秦淮一里盈盈水，
夜半春風吹美人。

這時其他七艷都歇下來，只有李香君對月獨舞。舞了一陣，又從艙中走出一位俊俏後生來，抱著李香君，做出種種依依情深的樣子。千萬雙眼睛都轉向這隻畫舫上來，彷彿在觀看月裏嫦娥與吳剛的相戀。

「惠甫，你今夜排的是孔聘之的《桃花扇》。」曾國藩對趙烈文說。

「不是全劇，選了幾段。」趙烈文不無自得地回答，「秦淮月夜，桃葉渡頭，畫舫之上，演奏一曲《桃花扇》，不是最相宜了嗎？」

「好是好。」曾國藩強打精神說，「只是哀怨了些。」

其實，趙烈文不知道，曾國藩此時並沒有興趣欣賞月夜歌舞，眼前這借男女情愛來懷念南明政權的《桃花扇》，反而使他心中更加傷感。的確，絲竹聲變調了，一個老漢在哀哀唱道：

烽煙滿郡州，南北從軍走，嘆朝秦暮楚，三載依劉。

歸來誰念王孫瘦，重訪秦淮簾下鈎。

徘徊久，問桃李昔遊，這江山，今年不似舊溫柔。

「各位，惠甫給大家排的《桃花扇》摺子的確精彩。不過，我們今夜是送沅甫回鄉。還是要歸到正題上來。」曾國藩越聽越傷感。他不希望《桃花扇》再演下去，轉臉問趙烈文，「我要的歌女來了嗎？」

「來了，在小船上等候。」趙烈文略覺掃興。

「叫她上來。」

趙烈文走到畫舫舷邊，對著停泊在旁邊的一條小烏篷船招招手。烏篷船開過來了，一個十七八歲面容姣好的姑娘上來，後面還跟了兩個男琴師。趙烈文傳命那隊金陵八艷划到下游去，讓其他人去欣賞。

「九弟。」曾國藩親切深情地對曾國荃說，「你自從咸豐六年募勇組建吉字營，九年來攻克安福、吉安、景德鎮、安慶、繁昌、南陵、巢縣、含山、和州、蕪湖，最後攻下長毛老巢金陵，爲國家建立不朽功勞，九弟勳業將永勒金石，垂之萬世，千秋萬代都是我三湘子弟效法的榜樣。今因積勞成疾，皇太后、皇上恩賞人參，賜回籍養疴，願吾弟安心息養，爲國珍重，早日康復，不負聖望，再擔重任。」說到這裏，曾國藩的喉嗓有點哽咽，滿船爲之一靜。

楊岳斌見狀，忙舉杯道：「祝九帥早日康復！」

大家都站起來，一齊舉杯喊：「祝九帥早日康復！」

曾國荃兩眼濕潤地起身舉杯：「謝謝各位！」

「九弟，過幾天是你的四十一歲生日，大哥我無金銀可送，無田宅可贈，只寫了幾首小歌子，現叫歌女唱來，算作送給你的壽禮！」

歌女清清喉嗓，琴師撥弄絲弦，委委婉婉地彈唱起來：

九載艱難下百城，漫天箕口復縱橫。
今朝一酌黃花酒，始與阿連慶更生。

歌女嗓音清亮動聽，酒席上的送行者和被送行者頻頻頷首。

陸雲入洛正華年，訪道尋師志頗堅。

慚愧庭階春意薄，無風送汝上青天。

歌聲把曾國藩和曾國荃帶到了二十多年前的歲月，那時兄弟同寓京城，如陸機陸雲一樣，無奈爲兄的力量有限，使得作弟弟的不能如意入仕。

幾年橐筆逐辛酸，科第尼人寸寸難。一刻須臾龍變化，誰能終古老泥蟠。

歌聲變得激越高亢，唱出曾國荃組建吉字營的抱負。

廬陵城下總雄師，主將赤心萬馬知。

佳節中秋平據寇，書生初試大功時。

楚尾吳頭暗戰塵，江干無土著生民。

多君龕定同安郡，上感三光下百神。

前首稱讚克吉安，後首頌揚下安慶。曾國荃倍感安慰，蕭孚泗、彭毓橘、劉連捷、朱洪章等人心中也高興。

濡須已過歷陽來，無數金湯一剪開。

提挈湖湘良子弟，隨風直薄雨花台。

平吳捷奏入甘泉，正賦周宣六月篇。
生得名王歸夜半，秦淮月畔有非煙。

曾國荃的眼前又浮現出攻打金陵的日日夜夜，千辛萬苦打下金陵，卻不料未及一百天，便被開缺回籍，驀然間心中湧出一股苦水。

河山策命冠時髦，魯衛同封異數叨。
刮骨箭瘢天鑒否？可憐叔子獨賢勞。

曾國荃想起大哥一到金陵的當天夜晚，便叫他撩起衣服，輕輕摩挲他的背臂，含著眼淚，不厭其煩地詢問每一處傷口。此情此景，隨著歌聲的騰起又上心頭。個中甘苦，大哥知、太后、皇上卻並不一定知，而那些無事生非的烏鴉們不但不知，還要詆毀咒罵，最後連太后、皇上也生了疑心，眞正是「讒人高張，賢士無名。」曾國荃想著想著，滿腹充滿了委屈、痛苦。忽然，他放聲大哭起來，越哭越兇，越哭越慘，弄得曾國藩和滿船人手足無措，歌女和琴師嚇得趕快停住。

「沅甫，你的辛勞，皇太后、皇上都知道，天地神靈也都知道，不要哭，不要哭了。」曾國藩說著說著，自己的眼睛也變得模糊起來。

四周畫舫上的人全部停止作樂，無聲地望著他們的統帥，各人心中都捲起複雜的思潮，由曾國荃的開缺想到了自己，由湘軍的今日處境想到以後的艱難，人人心頭都罩上如同今夜月色似的輕紗，預感到前途的渺茫、迷惘、變化不測、捉摸不定……

過了很久，曾國荃停止了哭泣，曾國藩和畫舫上所有人才放下心來。這時明月早已西墜，東方隱隱現出魚肚白來，兩岸觀賞者們都已回家睡覺去了，一條裝滿貨物的大船駛過來。曾國荃起身向衆人拱手說：「國荃就要回老家去了，望各位善自珍重，異日再得相見。」說完後，又拉著曾國藩的手說，「眼下陰晴未測，大哥你要多加注意。」

衆皆憮然。曾國藩緊緊地抱著弟弟的肩，良久，才悽愴地說：「大哥我早已置禍福毀譽於度外，坦然做去，見可而留，知難而退，但不得罪東家，好來好去就行了。」

兄弟二人互相緊緊地抱著，好半天，國荃先鬆手：「大哥，我走了！」

「等等。」曾國藩轉身喊道，「荊七，把送給九爺的東西拿來。」

荊七捧著一卷紅紙走來。

「九弟，你的大夫第建好後，將大哥替你寫的這副楹聯貼上去。」

曾國荃將紅紙展開，上面寫著：「千秋邈矣獨留我，百戰歸來再讀書。」他明白大哥的用意，重重地點點頭，轉身向貨船走去……

船開出很遠了，曾國藩仍憑窗遠眺，他似乎忘記了滿畫舫上的湘軍將領們，也忘記了自己身在秦淮河上。

「滌丈！」彭玉麟走到曾國藩身邊，輕輕地叫了一聲，「過幾天，我也要請假回衡陽了。」

「爲何事？」曾國藩轉過臉來，看見彭玉麟臉色陰沉，不像是爲了衣錦還鄉，而是另有別故。

「國秀已病入膏肓了。」彭玉麟難過地說。

「什麼病？」曾國藩這時才想起，近幾天來彭玉麟一直心事重重，今天的餞行宴會上，他也一言未發，總以爲是因沅甫開缺的緣故，卻原來如此！

「醫師至今未診斷出病因，有半年了，整日茶飯不思，日漸消瘦。」彭玉麟說著說著，眼圈都要紅了。

「雪琴，這都怪我平素關心不夠，依仗你爲左右手，不讓你回家休假，國秀這病是長期思念你的緣故。現在金陵已復，大功告成，你將軍務安排一下，回去住三個月吧！要不要國棟和你一起去？」

「國棟跟我一道去衡陽看望妹子那更好。」曾國藩的眞誠關懷使彭玉麟感動，猶豫片刻，他說，「不過，玉麟此番回去，就不再離開渣江了。」

「爲什麼？」曾國藩大爲吃驚，九弟回籍，已使他不勝悲涼，彭玉麟又說出這樣的話，更增一分愴惻。

「滌丈，玉麟出身貧寒，兼秉性耿介，當此亂世，本不宜出外做事。咸豐三年，一則激於義憤，二來感滌丈知遇，遂離家別母，隨馬後驅馳，幸托皇上洪福、滌丈大才，成此功勞。玉麟離開渣江時，曾對著小姑的墳頭起過誓：功成之後，布衣回鄉，長伴孤魂，永不分離。」彭玉麟說到此，已語聲嘶啞，曾國藩也被這個奇男子的至情深義所感動。

「何況今日國秀又如此！看來她在世之日也不多了，我也不忍心再讓她一人帶著弱子在家受罪。滌丈，你老說得好：千秋邈矣獨留我，百戰歸來再讀書。十餘年戰事，湘軍從將領到勇丁，死去的人總在三五萬，留下我們這批人能親眼看到攻下金陵，已是大幸了。玉麟天資魯鈍，於世事所知甚少，這些年來跟著滌丈轉戰東西，廣結各色人等，眼界大開，此時再來追憶前哲遺訓，似乎領悟更深。玉麟此生別無奢求，只願回到渣江，粗茶淡飯，讀書課子，對照先哲所言，細嚼十餘年舊事，倘能於人生有一番深悟頓徹，則勝過蟒袍玉帶多矣！」

彭玉麟這一番發自肺腑的話像一道流泉、一陣雨絲無聲地注入、細細地滋潤著曾國藩的心田。他很覺慚愧。自己天天講黃老之術，卻比從不談黃老二字的彭玉麟相差十萬八千里。他望著靜靜流淌的秦淮河水，由衷地說：「雪琴，你的這番志向，正是先賢遺風。我也時時想學著做，但可能做不到。金陵雖下，長毛還有二十餘萬，皖北河南一帶捻軍聲勢浩大，他們很有可能合為一股，戰事即將由江南轉向江北。君父尚在憂危之中，臣子豈能解甲歸田，消受清福？雪琴，回去好好休養一段時期，照顧國秀。一旦國秀病情好轉，還請大駕早返金陵。」

彭玉麟笑了笑說：「數年來玉麟雖迭授要職，然在軍中，不敢以實缺人員自居，歷任應領養廉俸銀從未倶領絲毫，誠以恩雖實授，官猶虛寄。目前軍中需銀孔極，玉麟所存糧台二萬兩養廉銀，請滌丈充作公用。」

曾國藩緊緊握住彭玉麟的手，激動地說：「賢弟這番心意，誠可欽服鬼神，但軍中豈缺這二萬兩銀子！你不領，我也會給你保存的。我只希望賢弟早點回來。」

彭玉麟不再作聲了。天色已明，畫舫正要返棹，卻不料岸上一騎飛來。頃刻之間，新封一等男爵蕭孚泗已哭倒在地。原來，湘鄉送來了訃告，他的老父二十天前去世了。蕭孚泗的悲痛哭聲，使畫舫上的湘軍將領們想起了遠在家鄉的老父老母，不免心中淒然，曾國藩的心頭也如同壓上了一團沈重的陰霾。祥雲暴卒，霆軍譁變，恭王被黜，九弟開缺，雪琴辭歸，孚泗喪父，上諭嚴責，謗讟四起，他萬萬沒有料到，盼望了十多年，歷盡千辛萬苦所得來的大勝之後，竟是如此的淒涼冷落，使人傷心失意……

畫舫無聲地向桃葉渡划去，秦淮河水逐漸由黑變藍，由藍變青，終於泛起千萬疊閃閃發亮的光波。它從昨夜神祕的睡夢中甦醒過來了，宛如由仙境重返人世，脫掉迷亂心性的五彩輕紗，恢復其溫和可親的本來面目。頭頂上，旭日高高地懸掛在金陵城的上空，將它的無窮光芒、無限生機送給宇宙。曾國藩走出艙房來到船頭，立時被正在興建中的江南貢院的宏大氣魄所吸引：數以千計的人在那裏忙忙碌碌，壯闊非凡的貢院已初具規模了。望著朝陽下的復興場面，曾國藩的心情陡然開朗起來。他不禁自我責備道：為什麼要從險惡方面去想呢？眼下自己明擺著是大清朝的第一號功臣，謗讟再多，能抹掉攻克金陵的鐵的事實嗎？太后再有疑心，不是已上奏湘軍要大規模裁撤嗎？歷史上這樣斷然自剪羽翼的功臣有幾個？長毛撲滅了，兩江乃至整個東南半壁河山極待重建，江南貢院可以在自己的手中得到恢復，金陵城、兩江三省也同樣可以在自己的手中得到恢復。如果說戰場廝殺、奪隘攻城要靠九弟、雪琴等人的話，那麼安邦定國、經世濟民則是自己的長處，無須假手他人。而這，又正是大亂平定後的第一要務！廣闊富庶的兩江大地，爲自己才具的充分施展提供了良好的基礎。「大廈正欲樑棟拄，灰心何事賦歸田」？手無寸權的翰林院學士時代都能有如此胸襟，大功初建、權綰三省的協揆總督反而退縮了嗎？

想到這裏，曾國藩豪情頓生。當畫舫輕輕靠近桃葉渡岸邊時，他安慰蕭孚泗幾句後，又對著滿船湘軍將領高聲笑道：「諸位辛苦了，上岸好好休息吧。明年燈節，我再請各位來一次秦淮夜遊！」

（《野焚》卷終）

曾國藩

MEMO

曾國藩

MEMO

曾國藩

MEMO

國家預行編目

曾國藩野焚／唐浩明著.--初版.--臺北縣中和市：漢湘文化, 1993〔民 82〕
面；　公分.--（歷史經典；4-6）
ISBN 957-8753-05-5 （平裝）
857.7　　82002749

歷史經典六

曾國藩野焚・卷三（全書三卷——血祭、野焚、黑雨）

發 行 人／胡明威
作　　者／唐浩明
執行編輯／巫曉維
企劃印務／范揚松
行政秘書／余綺華　高伊姿
出 版 者／漢湘文化事業股份有限公司
台北縣中和市中山路二段三五〇號五樓
電話（02）22452239　傳真（02）22459154
E-mail:hanshian@mail.book4u.com.tw
郵撥帳號／1697754-9
户　　名／漢湘文化事業股份有限公司
電腦排版／陽明電腦排版公司
內文製版／俊昇印製事業股份有限公司
內文印刷／全力印刷有限公司
裝　　訂／吉翔裝訂印刷有限公司
電話（02）2962-7511
登 記 證／文聞・蔡兆誠・黃福雄・王玉楚律師
1993年6月初版一刷　2001年8月初版六刷
單本定價160元　套裝九本特價1,250元
本書透過中國湘普信息公司獲得國際中文繁體字版權

線上總代理◆華文網股份有限公司
網　　址◆http://www.book4u.com.tw
〔紙本書平台〕華文網網路書店
〔電子書平台〕Online Books 電子書中心　華文電子書中心
香港總經銷◆漢鴻圖書有限公司
香港九龍塘觀開源道55號開聯工業中心A座1226
電話：002-852-2343-8466　傳真：002-852-2343-8440

總經銷
旭昇圖書有限公司
地址：台北縣中和市中山路二段352號2F
電話：(02) 2245-1480　傳真 (02) 2245-1479

廣	告	回	信
北區郵政管理局登記證 北　台　字6571號			
免	貼	郵	票

漢湘文化事業股份有限公司

地址：台北縣中和市中山路二段350號5樓

電話：（02）2245-2239

傳真：（02）2245-9154

姓名：________

性別：____男____女

生日：____年____月____日

電話：（　）________

傳真：（　）________

地址：________________

請沿虛線剪下裝訂，謝謝！

讀者服務卡

謝謝您購買這本書。
為加強對讀者的服務，請您詳細填寫本卡各欄，寄回給我們（免貼郵票），您即可收到本公司的出版訊息。

您購買的書名/ ______________________

購買地點/ ____________ 縣市 ____________ 書店

教育程度/□高中以下（含高中） □大專 □大學 □研究所（含以上）

職　　業/ ____________ 職位別/ ____________

您目前迫切需要哪方面的知識？ ____________

您覺得本書封面及內文美工設計/

□很好 □好 □差 □很差

您對書籍的寫作是否有興趣？

□沒有 □有（我們會盡快與您聯絡）

100字書評（請寫下您閱讀本書的心得及感想）

其他建議（請列出本書的錯別字，當另外致贈精美禮品）：

請沿虛線剪下後對折裝訂寄回，謝謝！

漢湘文化

閱讀新視界・生活新主張

漢湘文化
閱讀新視界・生活新主張